宮崎義一著

ドルと円

―世界経済の新しい構造―

岩波新書

37

宮崎義一著

ドルと円

―世界経済の新しい構造―

岩波新書

37

目　次

Ⅲ　ドル安・円高の構造

プロローグ　いまなぜドル・円問題なのか

ドル・円問題は決して新しいテーマではない。歴史上、とりわけ脚光を浴びた為替レート問題のトピックスをあげるだけでも、かなりの数になる。

過去のドル・円問題

まず有名な洋銀問題。安政五年（一八五八年）の通商条約によってメキシコ・ドル銀貨（いわゆる洋銀）一枚に対して日本の天保一分銀三枚という為替レートが定められたところ、国際的には金・銀の交換比率が一対一五の銀安であるにかかわらず、日本国内では一対五の銀高であったため開港以来わずか一年ほどの間に実に約三〇万両に及ぶ大量の金貨が海外に流出し、そのために幕府は万延元年（一八六〇年）金貨の大改鋳を余儀なくされるに至った。

つぎに、昭和五年（一九三〇年）一月一一日の金解禁から翌六年（一九三一年）一二月一七日金輸出再禁止に至るまでの期間のうち、とくにイギリスの金本位制停止（一九三一年九月二一日）以後に生じたいわゆる〝ドル買い〟（ドル為替の激しい思惑買い）事件。この時、大量のドル買い要求に対して横浜正金銀行が建値《たてね》（一〇〇円＝四九ドル3/8）で売りに応じた米貨（ドル）は、九月二一日から一一月四日までの一ヵ月半に実に一億七一〇八万ドル(邦貨換算約三億四二〇〇万円)という巨額に達した。(その売却先の上位四社はニューヨーク・ナショナル・シティ銀行三七〇〇万ドル、三井銀行二一三五万ドル、三井物産一四二三万ドル、住友銀行一二三五万ドルであった。)そのため、一一月四日以降、横浜正金銀行の建値によるドル為替売却は事実上中止されることとなった。しかし「この間、横浜正金銀行の正貨現送は引続き行なわれており、その額は一〇月中約一億三五〇〇万円、一一月中約一億四七〇〇万円、さらに一二月に入って五日までに約二三〇〇万円、合計約三億五〇〇〇万円に達した」(『日本銀行百年史』第三巻、五〇五ページ)という。そしてドル買いを企てた投機家の思惑通り、金輸出再禁止後ドルの対円レートは急上昇し、一九三二年(年平均)一〇〇円＝二八・一二ドルとなった。

戦後では、何よりもまず一ドル＝三六〇円単一為替レートの決定であろう。昭和二四年(一九四九年)四月二五日実施されたこの一ドル＝三六〇円レートは、それ以後ニクソン・ショックによって東京外国為替市場が閉鎖されるに至る日(一九七一年八月二八日)までの約二二年四カ月の間、日本経済の国際的枠組みとして、いわゆる高度成長に対して測り知れない影響を与えたことはよく知られている。

また周知のニクソン・ショック(一九七一年八月一五日)、それにつづいて為替レートを一ドル

＝三〇八円に変更したスミソニアン協定(一九七一年一二月一九日)、さらに変動相場制への移行(一九七三年二月五日)等々については、拙著『日本経済の構造と行動』(上・下、筑摩書房、一九八五年)でも分析したし、また洋銀問題以降のドル・円問題についてもすでに数多くの労作が出版されている。その中でも『日本銀行百年史』(全七巻、一九八三―八六年)その他の新資料にもとづいて円とドルの歴史を最近まで克明に整理した吉野俊彦著『円とドル』(日本放送出版協会、一九八七年)が出色の文献といえよう。

新しい資金の流れ

それにもかかわらず、いま重ねてドルと円の問題をとり上げるのはなぜか。それは、何よりもまずG5(五カ国蔵相会議)プラザ合意(一九八五年九月二二日)以降、日米欧各国の協調介入によって着手された円高・ドル安誘導の激しさと持続性が、円とドルの長い歴史の中にも全く前例を見ない出来事であるからである。すでにその一つの帰結として世界同時株式暴落をひきおこすに至っており、さらにその過程は、同時にアメリカの債務国化と日本の債権国化の急ピッチな進行を伴ってきた。それは一九二〇年代のイギリスとアメリカの間にみられた経済的覇権のクロス現象以来六〇年ぶりに見る世界経済の歴史的激動期のはじまりを意味しているかも知れないからである。しかし、そればかりではない。

戦後の世界経済の発展は(正確にいうと一九八〇年に至るまで(表Ⅲ-28を見よ))、世界の輸出の伸びが世界のGNPの伸び率より高いテンポで増大することによって可能になったことはよく知られている。それは、世界経済が、各国の貿易依存度(輸出依存度)を高め、各国間の経済的相互依存関係を深化させることを通じて発展したことを意味している。かくて「モノの世界貿易は、増大に増大を重ねて、かつてない規模に達している。〃インビジブル・トレード〃すなわちサービスの世界貿易も同様である。両者の合計は年間二・五―三兆ドルにもなる。しかし世界の金融機関が相互に貸し借りし合うロンドンのユーロダラー(アメリカ国外に保有されているアメリカ・ドル)市場の取扱い金額は、営業日一日当り三〇〇〇億ドルを超え、年間では七五兆ドルに達している。優に世界貿易額の二五倍に及ぶ巨額である」(Peter F. Drucker, 'The Changed World Economy,' *Foreign Affairs*, Spring 1986, p. 782)。

ユーロダラー市場のみに限らず、世界の外国為替市場の取引高も急激に増加している。ニューヨーク連銀(連邦準備銀行)からの呼びかけで、一九八六年三月現在、はじめて日・米・英の中央銀行が同時に調査した外国為替市場の一日当りの取引高は、東京四八〇億ドル、ニューヨーク五八五億ドル、ロンドン九〇〇億ドル、三市場合計で一九六五億ドルであって(本書一五八ページ参照)、年間四九兆ドル強、モノとサービスの世界貿易金額の一六倍以上にものぼっている。

この事実は重要である。ユーロダラーの動きや外為市場の取引高の動きの中には誤差や重複も含まれているであろうが、国際的な資金の動きが財とサービスの貿易金額の一六—二五倍にも達しており、もはやかつてのように世界経済を動かす力は、財・サービスの貿易(実需)と深く関連した資金の国際的流れのみではなくなっているからである。しかも、このような現象は、ニクソン・ショックにつづく二度の石油危機以降のものであって、一九七〇年以前には全く見られなかった新しい動きである点に注目しなければならない。ドラッカーは、これを最近一〇年間に生じた世界経済の三大構造変化の一つとみなしている。*

* ドラッカーは、「過去約一〇年の間に世界経済の構造そのものに三つの根本的な変化が生じた。すなわち

①一次産品経済と工業経済との間の関連が断ち切られたこと。
②工業経済それ自体においても生産量と雇用量との間の関連が断ち切られたこと。
③世界経済を動かす力は、(財とサービスの)貿易ではなく、資本移動に変わったこと。」(*op. cit.*, p. 768)

と述べている。

英誌『エコノミスト』(一九八八年一月九日号)も、「七〇年代のはじめ以降現われた世界経済最

大の変化は、為替レートを動かす力が、モノの貿易から貨幣の流れに変わったことである」(一一ページ)と述べている。七〇年代のはじめ以降というのは、ニクソン・ショックにつづく石油ショック以降ということであろう。

しかし「伝統的な国際経済理論のほうは、依然として、モノとサービスの貿易が国際的な資本の流れと外国為替レートを決定する、という新古典派(の水準)にとどまっている」(P. F. Drucker, *op. cit.*, p. 783)。単に経済理論にとどまらない。ケインズがかつて『一般理論』の末尾で鋭く指摘したように、「どのような知的影響とも無縁であると自ら信じている実際家たちも過去のある経済学者の奴隷であるのが普通である」(邦訳三八六ページ)。ところがすでに見たように、一九七〇年代初め以降の現実は、為替レートをゆり動かす力もまた世界経済を動かす力も、もはやモノの貿易額にはなく、巨額な資金の流れそのものの方に大きく移行している。このような新しい資金の流れの中にドルと円の問題を位置づけ、その視角から体系的にドルと円の行方を探究する試みは、まだ大部分空白のままである。本書の課題は、この未開拓の分野に多少ともメスを加えることにある。その意味では、『世界経済をどう見るか』(岩波新書、一九八六年)パートⅡといってよいかも知れない。

前著『世界経済をどう見るか』の第Ⅲ章「債務国アメリカと債権国日本」においては、ヘゲモニー国家アメリカの翳《かげ》り現象を解明したが、本書では更に掘り下げて、新しい巨大な資金の流れから基軸通貨ドルの行方を、とくに円との関連に焦点をあてて分析してみたい。

国際通貨の仕組み

かつてR・クーパー(Richard Cooper)ハーバード大学教授は、一九八四年の論文の冒頭、次のように設問していた。「ニューハンプシャー州ブレトン・ウッズにおける国際通貨会議から四〇年目にあたる今年、国際通貨の仕組みは安定しているであろうか？　それは今後二〇年、三〇年といったかなりの期間にわたって生き残りうるであろうか？　私の答えはネガティブである」と。本書も、一九八五年九月二二日のG5プラザ合意成立以来実現した急速な円高・ドル安のプロセスを明らかにし、その経済的帰結の一つとなった「暗黒の月曜日」(一九八七年一〇月一九日)の意味するものの核心に一歩でも迫りたい。そしてそのことを通して、このクーパーの設問とそれに対する彼の否定的な回答について検証することを目的としている。

Ⅰ

「暗黒の月曜日」前後

史上最大の株価暴落

一九八七年一〇月一九日(月)、アメリカの株価がダウ工業三〇種平均で五〇八・三二ドルも暴落した。前日比二二・六%の低下である。この株価低落率は史上最大であって、あの「暗黒の木曜日」(ブラック・サースデー)の名でよく知られている一九二九年一〇月二四日(木)直後の歴史的株価下落*(前日比一二・八%)よりもはるかに大きい。かくて一〇月一九日は「暗黒の月曜日」(ブラック・マンデー)と呼ばれている。

* 一九二九年一〇月のニューヨーク・ダウ工業株三〇種平均終値は次の通りである。一〇月二三日(水)三〇五・八五ドル、二四日(木)二九九・四七ドル(前日比マイナス二・一%)、二八日(月)二六〇・六四ドル(前日比マイナス一二・八%)、二九日(火)二三〇・〇七ドル(前日比マイナス一一・七八%)。かくて株価暴落は正しくは一〇月二八日、二九日であって、「暗黒の木曜日」二四日はその発端であった。

しかし株価暴落は、必ずしも一〇月一九日(月)にはじまったものではない。一〇月一四日(水)九五・四六ドル、一五日(木)五七・六一ドル、一六日(金)一〇八・三六ドルと三日間の連続低下がみられ、そして週明けの一九日(月)までを含めて、合計七六九・七五ドル、一三日(火)

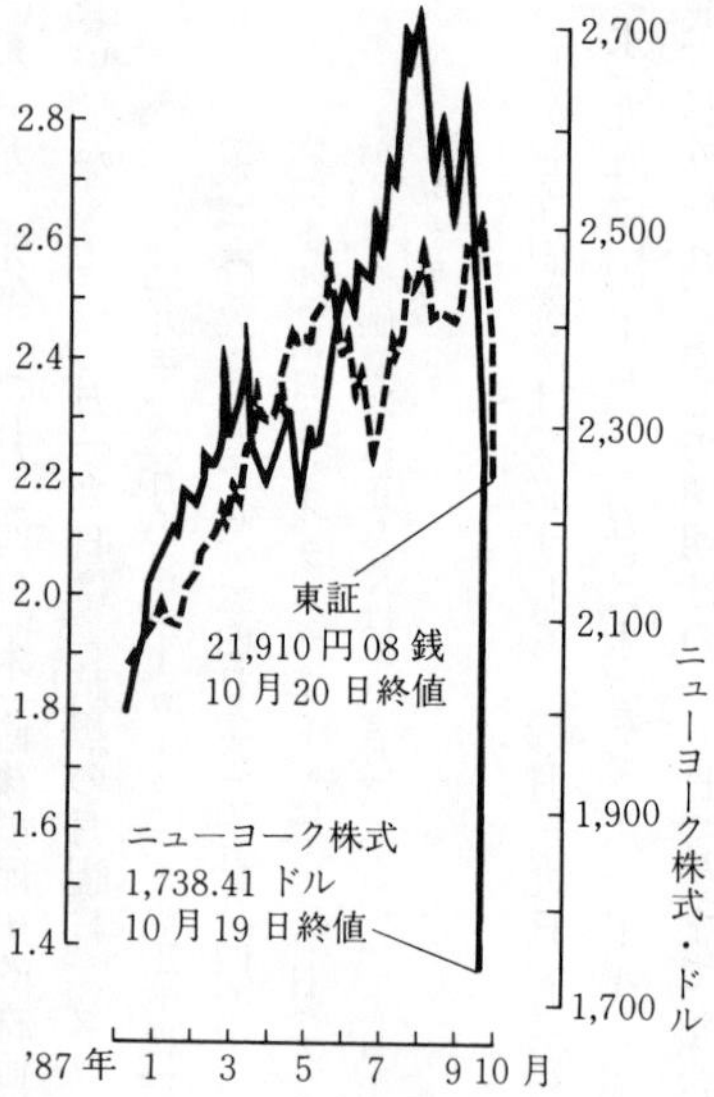

図I-1　日米株価の推移

の株価に比べると一週間足らずで三〇・六九%もの大幅低下となった。

東京株式市場では、アメリカのブラック・マンデーを受けて翌一〇月二〇日(火)、平均株価(二二五種)終値は三八三六・四八円の暴落を記録した。この前日比一四・九%の低下率は、これまで最大だったスターリン暴落(一九五三年三月五日)の一〇・〇%を軽く突破し、平均株価は一挙に三月の水準にまで転落した。さらに二日間おいて二三日(金)一二〇三・二三円、さらに週明け二六日(月)一〇九六・二二円と激しい株式暴落がつづいた。この二六日にはニューヨーク・ダウ工業株三〇種平均も前週末に比して一五六・八三ドル安の一七九三・九三ドルを示し、「暗黒の月曜日」以来一週間ぶりに一八〇〇ドルを割り込み、下落率は八・〇四%、史上六番目の低落であった。この日は、東京、ニューヨークにつづいてロンドンにも株式低落が見られ、文字通り世界同時暴落となり、「アナザー・ブラック・マンデー」の名で呼ばれている。

株式損害額

これらの株価暴落額に株式数を乗じた金額が株主の蒙った損害額になるが、ロイターが計算したところによると、世界全体の株主が蒙った損害額合計(一〇月一四日より一週間分)は、約一・四兆ドル(一九三・六兆円)に及んでいる。それはわずか一週間で、一九八五年一年間の日本のGNP金額(一・三二九兆ドル)より多額の財産価値が消滅した計算になる。そのうちニューヨーク市場の株式損害額は六四八〇億ドルで全体の四六%、東京株式市場の株式損害額は四八〇〇億ドル(六九・一二兆円)で全体の三四%、ロンドン株式市場の損害額は一五四〇億ドルで一一%、そしてその他(シドニー、シンガポール、香港、フランクフルト等)は全体の九%である。

アメリカの株主は全体の過半数が個人であるため、*株式暴落の個人生活に与える影響は深刻である。事実ブラック・マンデーから一週間目の二六日、フロリダ州で、株価暴落によって数十万ドルを失ったアーサー・ケーン氏がマイアミ郊外にある取引先のメリル・リンチ証券会社支店長をマグダム銃で射殺し、その短銃で自殺するといった出来事があった。またこの株式損害のためにアメリカの個人消費支出、住宅投資が影響を受けるおそれありと懸念されていた。

株価暴落

19日(月)	
1,738.41ドル (指数69.3)	
−508.32ドル (前日比−22.6%)	計 −769.75ドル

23日(金)	24日(土)	26日(月)	
23,201.22円	23,298.78円	22,202.56円 (83.3)	
−1,203.23円	+97.56円	−1,096.22円	計−3,544.00円

＊一九八七年末現在において株式の市場価値合計(三・〇二兆ドル)中、個人所有分は約六〇%(一・八一兆ドル)である。

日本の方は、個人株主より法人株主、機関投資家の方がずっと多く、三倍近くにのぼるため、＊その損害は、次の決算期に評価損として計上されることになる。

＊一九八七年三月末現在で、法人の株式保有比率は七四・六%である。

金利の上昇

ここで「暗黒の月曜日」にいたるまでの動きについて、日を追って明らかにしておこう。そのためには少なくとも一〇月六日(火)まで遡ってみることが必要である。

一九八四年四月九日公定歩合を九%に引き上げて以来、その後七回もひきつづいて引下げを実施

表I-1　世界同時

アメリカの株価の動き(ダウ)

10月13日(火)	14日(水)	15日(木)	16日(金)
2,508.16ドル(指数100)	2,412.70ドル	2,355.09ドル	2,246.73ドル
	−95.46ドル	−57.61ドル	−108.36ドル

日本の株価の動き(平均)

10月14日(水)	20日(火)	21日(水)	22日(木)
26,646.43円(100)	21,910.08円	23,947.40円	24,404.45円
	−3,836.48円	+2,037.32円	+457.05円

してきたアメリカが三年半ぶりに公定歩合を〇・五%引上げ、年六・〇%としたのは一九八七年九月四日であったが(二〇四ページの図III-16参照)、それ以来、ベーカー財務長官は、とくに金利差の縮小をもたらすおそれのある日本と西ドイツの金利上昇を警戒し、事実、九月六日のワシントンG5(先進五カ国蔵相会議)・G7(同七カ国蔵相会議)においても日本の短期金利上昇に対して〝約束違反〟だときびしく迫り、神経をピリピリとがらせていた。

それにもかかわらず一〇月六日(火)、西ドイツ連銀(連邦準備銀行)は期間二八日間の買いオペレーションの最低金利三・五%を〇・一%引き上げ、三・六〇%とした。この決定をきっかけにして、一〇月六日ニューヨーク・ダウ工業株三〇種平均は下落し、終値は二五四八・六三ドルと前日に比べ九一・五八ドルの下げ幅を示した。これは、この時点までのところ史上最高額の下落であった。*それは、ニューヨーク株式市場が西ドイツにつづく日本の公定歩合の引上げを警戒し、FRB(連邦準備制度)の金融引締めによる金利の先行きに対して極めて神経質に反応したからである。

* それまでのアメリカ・ダウ工業株三〇種平均終値の低落最高額は、一九八六年九月一一日の八六・六一ドルである。

そして、「暗黒の月曜日」への前兆というべき一〇月一四日(水)の株価暴落につながっていくのである。この日、アメリカ商務省は八月の貿易収支を発表した。一五六億八三〇〇万ドルの赤字で、前月の赤字額よりは四・八%の減少であったが、同年一月から七月までの月平均の赤字額一四〇億ドルを大きく上回り、史上四番目の高水準であった。そのためドル売りを呼び、ニューヨーク市場の円相場は、貿易収支発表直後に、一円六〇銭高の一ドル=一四二円四〇—五〇銭となった。

また三〇年物国債の利回りも、前日比〇・二七%高の一〇・一五%の高水準になり、ニューヨーク・ダウ工業株三〇種平均も前日比九五・四六ドル安の二四一二・七〇ドルと、一〇月六日の記録を更新する史上最大額の低落となった。

翌一五日(木)、ホワイトハウスにおける記者会見でベーカー財務長官は、「西ドイツなど海外金利の上昇は、ことし二月のパリ・ルーブルG7合意が機能していないことを意味している」と指摘し、西ドイツに対して金融政策の修正を求めた。* これに対し、ペール西ドイツ連銀総裁は、「西ドイツが通貨供給量を(適正に)コントロールしていけば、世界的な金利上昇は免れえないであろう」と述べ、ベーカー長官の要請にもかかわらず、今後西ドイツは金利水準の上昇に向かう可能性のあることを認めた。この対立は、ドル安定を第一義的に考え、そのためには経済政策の国際的相互監視(サーベイランス)が不可欠であると考えるベーカー長官の戦略と、国家主権の立場からは国内の経済政策運営権を譲るわけにいかないという西ドイツ政府の見解との基本的対立にほかならない。このようなアメリカと西ドイツの金融政策上の摩擦が明らかになったため、三〇年物国債利回りは、八五年一〇月以来二年ぶりの高水準一〇・三四%まで上昇し、この金利先高観が、ダウ工業株三〇種平均を五七・六一ドル引き下げ、また円相場もドル安・円高の方向に動かした。**

* 一九八七年二月二一日、パリ・ルーブル宮において採択されたルーブル合意には当時の為替レートは、「各国の政策公約を前提とした上で、経済のファンダメンタルズ(基礎的諸条件)にほぼ合致する幅の中にある」と明記され、これ以上のドル下落は求めないことが確認されていた。しかしそ

のためには、各国の政策協調が要請されることになる。

** 一九八八年四月二二日付の『ウォール・ストリート・ジャーナル』によると、レーガン大統領の諮問機関である「株価安定化に関する特別委員会」ブレイディ委員長は四月二一日、ワシントンの機関投資家の会合において、株価暴落の本当の引き金となったのは、「ドル相場に対する日本人の懸念だ」と述べ、「(ドル安を嫌った)日本の投資家が大量のアメリカ財務証券を売り、三〇年物国債の利回りが一〇%に乗せたため、多くの人々が株式より債券の方が数倍も利益があがると考えた」と説明したという。ブレイディは、当時投資会社ディロン・リード社会長であったが、八八年八月一七日ベーカー財務長官の辞任にともない後任のアメリカ財務長官に就任した。

その翌日一六日(金)は、ニューヨーク株式市場のダウ平均は前日終値より一〇八・三六ドルも低落し、二二四六・七三ドルで引け、出来高も三億三八四七万株と、そろって史上最高を記録した。一〇月六日につづいて、一四・一五・一六日と三日間連続の下落である。

裁定取引

この連日の記録更新に見られるように、下げ幅をいっそう大きくしているのは、S&P五〇〇種先物など株価指数先物と現物株価の「裁定取引」からでてくる売りである。機関投資家は一般に「ポートフォリオ・インシュアランス」(PI)というシステムを設計しており、多くの投資家が一斉に売りに走ると買手がつかないため現物市場では売りたくて

も売れない時に、このポートフォリオ・インシュアランスを運用して、相次いで先物売り(将来一定期間後に株式を受け渡しする条件で株式を売る取引)を指示するコンピューターのボタンを押すことになる。機関投資家が相場の下落を見て、現物株のヘッジ(売りつなぎ)*のために大量に先物を売ると、先物相場と現物相場との間に価格差(「ベーシス」と呼ばれる)が開きはじめる。とたんに「プログラム売買」が自動的に働き〝割安な先物を買い割高な現物株を売ってサヤを抜く〟裁定取引が作動することになる。平常のケースでは、この裁定取引はやがて現物相場と先物相場の調整機能を発揮するのであるが、あまりにも激しい現物相場の低落の渦中にあっては、裁定取引に伴う現物相場の下落によって、さらに機関投資家が先物を売り、それがさらに裁定取引を誘発するという悪循環がはじまる。

＊ たとえば時価一〇〇〇円の現物株を保有している人が将来値下がりのおそれありと考えた場合、持株を手元に保有したまま、先物でそれと同じ株式を信用取引を利用して一〇〇〇円で売っておく。懸念どおり相場が下がって九〇〇円になったとする。この場合、現物株は一〇〇円の値下がりとなるが、先物で一〇〇〇円で売った株式を時価九〇〇円で買い戻すことができるから、この一〇〇円の差益で現物株の値下がり損失を十分カバーすることができるのである。かくてヘッジは、一種の保険の役割を果たすことになる。

一方、この八七年一〇月中旬の場合、現物株だけで取引をしている機関投資家や個人投資家も急激な下げにつられてパニック売りの状態となり、下げ幅が大きくなり、出来高も膨らんだ。一六日の株式市場では、この「ポートフォリオ・インシュアランス」と「プログラム売買」が自動的に働いて、大引け直前には、S&P五〇〇種の一二月物の先物と現物との価格差(ベーシス)は、三・五ポイント近くまで開いた。ソロモン・ブラザース社によると「これほどの大きな乖離はきわめて珍しい」という。

なおこの日の株価急落のきっかけとなったのは、「アメリカ大手証券会社が投資家に、ポートフォリオ(金融資産構成)を株式から債券に組み替えるよう推奨した」といううわさがトレーダー同士の〝ロコミ〟の形で、あっという間にニューヨーク株式取引所のフロアに広がり、トレーダーたちの手信号が一斉に〝売り〟に変わったとも伝えられている(一七—一八ページの注を見よ)。

そのため一六日ニューヨーク市場では、TB(財務省証券)、長期国債や貴金属に向かって〝買い〟が集中した。TB三カ月物金利は急落し、対前日比〇・四一%低下の六・六〇—六・六四%となり、表面利率八・八七五%の三〇年物国債の利回りも下落して対前日比〇・〇三%低下の一〇・一九%になった。国債の市場取引価格が上昇したからである。また商品取引所金先物相場(一〇月限り)は対前日比八・七ドル高の一オンス＝四七一・六ドルと、八月四日以来二カ月半ぶりの高値をつけた。

そして一〇月一七日(土)、ベーカー財務長官はCNNテレビのインタビュー番組において、上昇傾向を強めている西ドイツ金利について、くりかえし「西ドイツがいっそうの金融引締め策をとるならば、アメリカは(先進七カ国による為替安定のための)ルーブル合意を見直さざるを得なくなろう」と西ドイツ当局に対して強く警告した。また「アメリカが西ドイツに追随して金利引上げをすると思うのは間違いだ」とも述べ、西ドイツが公定歩合を引き上げた場合にも、アメリカには協調利上げを実施する用意はなく、したがって為替相場がマルク高・ドル安の方向に動くことがあっても容認する可能性について示唆した。

市場の反乱　このベーカー発言は、その意図と反対に、「海外からのアメリカ株投資をいっそう遠ざけることになる」という不安をアメリカの株式ディーラーたちにかき立てた。事実、日・欧その他海外の投資家たちは、ドル安のために保有している株式・債券等の自国通貨価値のいっそうの低下が生ずるのではないかという恐怖をいだきつづけてきたからである(二一九ページを参照)。そして一〇月一九日、いわゆる「暗黒の月曜日」に突入していったのである。

かくて、明らかに「暗黒の月曜日」は、一九八五年九月二二日のG5プラザ合意以降激しい円高・ドル安を演出してきたアメリカ財務長官ジェームス・ベーカーの一連の戦術に対する「市場の反乱」(コンフィデンシャル・クライシス)という側面をもっている。「血の月曜日(Bloody Monday)は双子の赤字に対処できない国(アメリカ)に金融界が我慢できなくなったというシグナルにほかならない」(*Business Week*, Nov. 16, 1987, p. 45)。事実、G5以降一九八七年末まで二年三カ月の間に、ドル対円レートは、一ドル=二四二円から一二二円まで、ほぼ半減のドル安になっているにもかかわらず、アメリカの貿易収支の赤字額は減少しなかった。その額を見ると、一九八五年一三三六億ドル、八六年一五六一億ドルであったのに対し、八七年一一月分の赤字額は一三二億ドル、一二月分の赤字は一二二億ドルと二カ月連続の減少を示したにもかかわらず、八七年年間合計額では、一七一二億ドルと赤字額の記録を更新した。

また対日貿易赤字に限定しても、一九八五年四九七億ドル、八六年五八五億ドル、そして八七年五九八億ドルと、はかばかしく減少しないばかりか多少増加しており、また長期金利(三〇年物国債利回り)の方もベーカーの初めの期待とは反対に、八七年二月のルーブル合意以降マネーサプライ(M_2)が抑制されはじめるや否や次第に上昇し、一〇月一五日頃には一〇%を超えんばかりになった。かくて、財務長官就任以来実施してきた一連のベーカー・プランの有効性に対する市場の不満は、次第次第に高まりつつあった。『ニューヨーク・タイムズ』紙一九八七年四月二九日付でP・T・ギルボーン記者は、すでに「ベーカー長官は自分の知っている弦楽曲のすべてを弾き終った。彼からはもはや新しい曲は何一つ出てくる様子はない」。「ベーカー長官の通貨プランと累積債務プランはいずれも崩れ去ろうとしており、アメリカ金融市場のベーカー長官に対する信頼も大幅に低下した」と厳しい評価を下していた。

一〇月二〇日朝、ローソン・イギリス蔵相もBBCラジオのインタビューにおいて「すべてはウォール・ストリートで始まったことで、(暴落原因の)大部分は、アメリカ証券市場のアメリカ経済に対する不信感によるものだ」と、責任のほとんどがアメリカにあると指摘し、さらに「責任ある人たちの不用意な発言も響いている」と、暗に西ドイツ・ペール連銀総裁と、アメリカ・ベーカー財務長官の間にみられた露骨な不協和音に対してコメントを加えている。

直接の契機　ここでひとまず、「暗黒の月曜日」に至る主要な諸契機をまとめておこう。

①アメリカの「双子の赤字」、すなわち財政赤字と貿易赤字が底流にあったことはいうまでもない。事実、一〇月一四日発表の八月の赤字の大きさは、直接、「暗黒の月曜日」への引き金の一つになった。また「暗黒の月曜日」直後、レーガン政権がアメリカ議会との間

ではじめて財政赤字解消の具体策(一九八八—八九両会計年度で合計七九〇億ドルの赤字を削減する法律)の協議に乗り出したこともこの契機の重要性をうらづけるものであろう。

②金利上昇への不安。ベーカー長官は就任以来、金利の引下げを企図してきたが、八七年のはじめからは長期金利(三〇年物国債利回り)の動きは上昇に転じた。ドル安によるインフレ懸念が生じてきたからである。九月四日、公定歩合を〇・五％引き上げざるを得なくなったし、さらに「暗黒の月曜日」直前には三〇年物長期国債の利回りが一〇％を超えるに至り、公定歩合再引上げがうわさに上るほどになっていた(一七—一八ページの注を見よ)。

③ベーカー戦略への不信。国際的協調介入と国際的相互監視(サーベイランス)によってドルの低位安定をはかろうとするベーカー財務長官の諸政策はきわ立って実りある成果をもたらさず、ついに市場がそれに対して反乱を起こすに至ったこと、またとくに西ドイツとの間の国際協調(とくに金融政策)に不協和音が目立った点である。

④コンピューターによるプログラム売買。ポートフォリオ・インシュアランスによる先物売りの指示と、裁定取引のためのプログラム売買との連動によって、株価急落への悪循環をよび起こした。

以上四点は、いずれも直接的な、したがって表面上の契機にすぎない。激しいテンポで進んだ円高・ドル安現象の核心、およびその一つの帰結である「暗黒の月曜日」の背景にかんするいっそう立ち入った分析については、Ⅱ部以降で改めて展開することにしたい。

一九二九年と一九八七年

それでは、一九二九年の「暗黒の木曜日」と一九八七年の「暗黒の月曜日」を比較してみると、どのような相違点が見られるだろうか。

ふつう指摘されるのは、次の三点である。

①二九年は、株式暴落のほかに物価下落、とくに農産物価格の大暴落を伴ったが、八七年秋は株式暴落のみで、第一次産品市場にはとりわけ激しい変化はみられなかった。(ただし周知のように石油価格は、一九八三年三月以降低下傾向を示している。)

②二九年には、株式暴落のあと、農業州に銀行倒産がはじまり、三〇年末には本格的な銀行恐慌がみられたが、八七年は暗黒の月曜日の翌日、いちはやくグリーンスパンFRB議長は、株価下落の結果、援助の必要となったすべてのFRB加盟銀行に対して資金供給の準備と意志のあることを発言した。また銀行が倒産した場合、預金者の預金を保護する制度としてアメリカFDIC(連邦預金保険公社)が機能しており、取付け騒ぎの起こることを予防している。

③二九年の暗黒の木曜日は、アメリカの実体経済が下降局面に入りつつある中で起こった。その年の六月、一二六を記録した連邦準備工業生産指数が、一〇月には一一七と九ポイントも

低下する過程における出来事であった。今回の暗黒の月曜日は、一九八二年以来六〇ヵ月間生産指数の上昇がつづいているなかで、つまり一貫して実体経済が上向きを示しているにもかかわらず、発生したのである。

これら三点の指摘は、いずれも暗黒の木曜日(一九二九年)より暗黒の月曜日(一九八七年)の方がいっそう深刻な経済状態とはいえないことを強調するものである。しかし、さらに重要な相違点は、次の三点であると思われる。

④暗黒の木曜日(一九二九年)が襲った時には、アメリカは新興の債権国であった。当時イギリスは、すでに債務国に向かって歩みはじめていたが、アメリカは反対に、第一次大戦以降、対ヨーロッパ向け工業製品輸出の急増によって、経常収支は大幅な黒字を記録し、対外資産を積み上げつつあった。一九二五―二九年平均でみると、アメリカの長期資本輸出は、すでにイギリスの長期資本輸出を優に上回る規模に達していた。そこへ株式暴落が生じたのである。

ところが一九八七年には、アメリカは、双子の赤字(財政の赤字と経常収支の赤字)に悩まされており、八七年末債務超過分は実に三六八二億ドルに達する世界最大の債務国として、その相対的経済力において衰弱を示しはじめていた。その債務国アメリカにおいて株式暴落が襲いかかったのである。

⑤一九二九年のアメリカでは金本位制度(一九一九年一月以来)が採用され、金一オンス＝二〇・六七ドルの平価で金ドル交換が行なわれていた。この金兌換《だかん》を停止したのは、株式暴落後三年半、一九三三年三月一六日に至ってからである。したがって、暗黒の木曜日当時、為替レート問題はなかった。ところが一九八七年、暗黒の月曜日は、変動相場制下、しかもG5(一九八五年九月二二日)プラザ合意以降の急激なドル安過程において発生した。株価暴落が、ドル安とともに発生したのである。

⑥一九二九年の株式暴落は、もっぱらアメリカ国内の経済事情(過剰貯蓄、過剰生産)を原因とするものであった。さきに述べたように、六月以降景気後退に入っていたにもかかわらず、株価のみ上昇をつづけていた。それが、ついに暗黒の木曜日に至って崩壊したのであった。

暗黒の月曜日(一九八七年)は、全く事情が異なっている。一九八五年頃からアメリカの株式市場に向けて流入する日本とヨーロッパの証券投資資金が顕著になっていた。たとえば日本の場合、海外市場における株式純取得額(株式取得額と処分額の差)は、一九八五年は年間九・九億ドルであったが、八六年には年間七〇・五億ドルに急増し、八七年も年間一六八・七億ドルに達していたし、また公社債等純取得額も、一九八五年は年間五三五億ドル、八六年は九三〇億ドルと急増し、八七年には七三三億ドルの巨額に達している(一三二ページ表Ⅲ-11、なおアメリカ向けについては一三一ページの注を見よ)。ヨーロッパからの資金がこれに加わると、アメリカの株高と公社債の消化は、アメリカの投資家たちの資金のほかに、これら日・欧の巨額な資金によって支えられていたのである。したがって、最近のアメリカ市場は日本とヨーロッパの資金の流れ如何によって株価や国債利回りが大きく左右される仕組みになっている。このようなことは、ドルと円が相互に転換しやすくなったいわゆる〝円転換規制の廃止〟(八四年四月)以降の全く新しい現象である。したがって、外為市場でドル安が予想されると日・欧の資金がドル離れをはじめ、そのためアメリカ国債の利回りを上昇させ、金利の上昇、ひいてはニューヨーク株式の低落をもたらす危険が高くなっているのである。

以上、新しい三つの相違点④⑤⑥は、いずれも最近の資金の流れのグローバリゼーションと深くかかわっている。これらは、前掲の三点①②③と異なり、いずれも二九年の世界経済より八七年の方が安定的であると一概に断定することを許さない指標といってよいだろう。むしろ世界経済を動かす力が、財・サービスの貿易(実需)の側から、資金の国際的な流れの方向に移行しつつあるという「世界経済の構造変化」を背景にしながら、基軸通貨(ドル)の対外為替レートに対してあまりにも急激に推し進められた人為的な調整措置(ドル高是正)が、世界経済の不安定性をいっそう深めてしまったといってよいのかもしれない。

Ⅱ　ドルと円の軌跡

(1)　ベーカー・プラグマティズム

リーガンからベーカーへ

ニューヨーク、セントラル・パークの東南端と五番街とにはさまれているグランド・アーミー広場、その西側に中世の名城のように人の目に映る一九階建てのホテルがそびえている。ウォルドーフ・アストリアホテルと格式を競うプラザホテルである。一九八五年九月二二日(日)、このホテルの二階「ホワイト・アンド・ゴールドの間」(船橋洋一著『通貨烈烈』一九八八年、二八ページ)において、米、英、仏、西ドイツそして日本、これら五ヵ国の蔵相と中央銀行総裁合計一〇名が緊急に集まり、いわゆるG5 (Group of Five)が開催された。その後二年余りつづいた円高・ドル安誘導のための協調介入の開幕である。

その年のはじめ、一九八五年一月二一日(月)、レーガンは二期目の大統領就任の式典を挙行したあと、重要な人事を敢行した。ドナルド・リーガンを財務長官から大統領首席補佐官のポストに移し、財務長官の後釜には、その時まで大統領首席補佐官であったジェームズ・ベーカーが就任した。この異例のスワップ人事(ポスト交換)が、その後開始される激しい円高・ドル

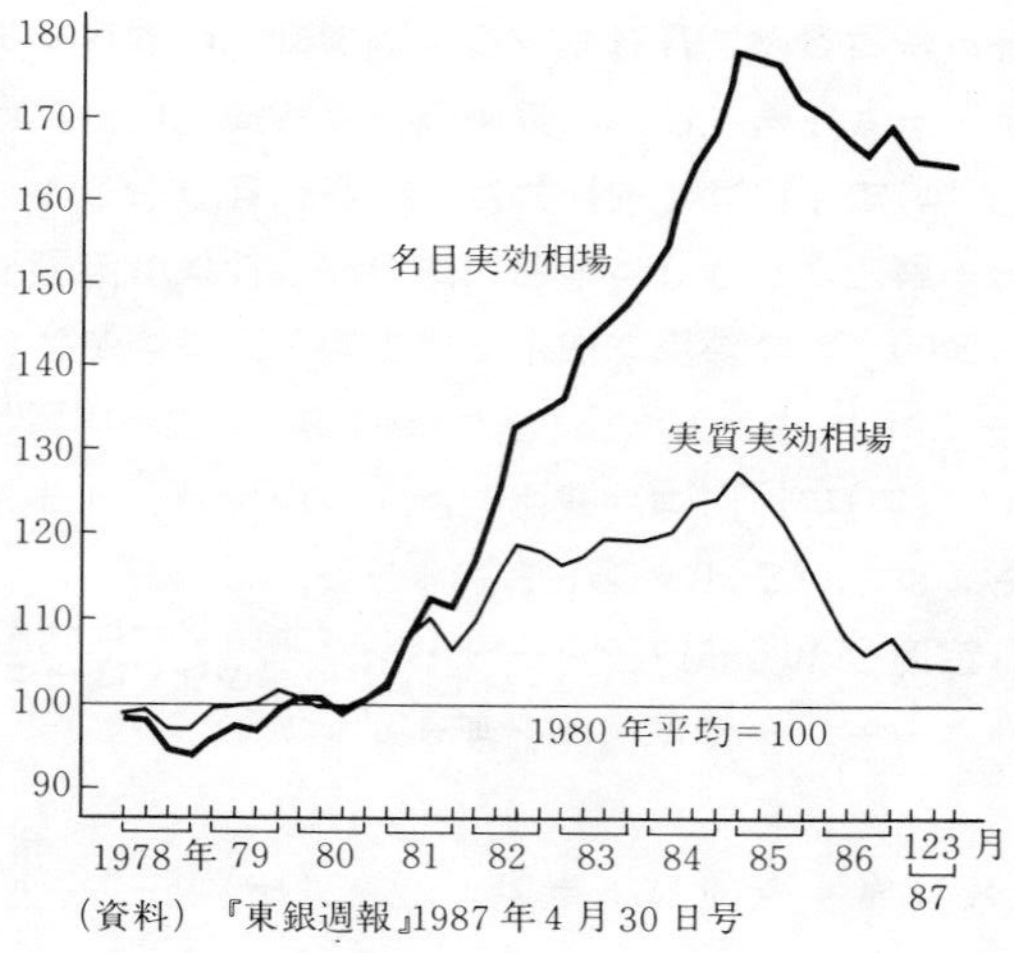

(資料) 『東銀週報』1987 年 4 月 30 日号

①対 象 国 通 貨

先進国通貨：カナダ・ドル, 日本円, ドイツ・マルク, 英ポンド, フランス・フラン, イタリア・リラ, オランダ・ギルダー, ベルギー・フラン, オーストラリア・ドル

発展途上国通貨：メキシコ・ペソ, 台湾ドル, 韓国ウォン, ホンコン・ドル, ブラジル・クルゼイロ, ベネズエラ・ボリバール

②計 算 式(指数)

名目実効相場$=100\times\overset{15}{\underset{i=1}{\pi}}\left(\frac{E_{it}}{E_{io}}\right)^{W_i}$

実質実効相場$=100\times\overset{15}{\underset{i=1}{\pi}}\left(\frac{E_{it}}{E_{io}}\times\frac{P_{io}}{P_{it}}\times\frac{UP_{it}}{UP_{io}}\right)^{W_i}$

E ：為替相場
P ：対象国物価指数
UP：アメリカの物価指数
w ：貿易ウェイト $\sum_{i=1}^{15}W_i=1.0$
o ：基準時
t ：比較時

図 II-1 ドルの実効相場

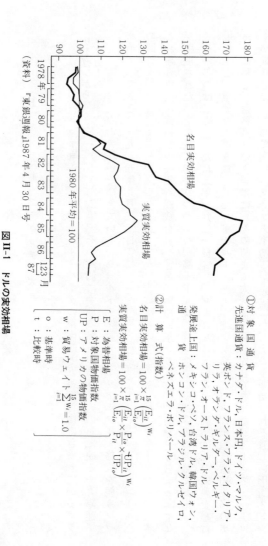

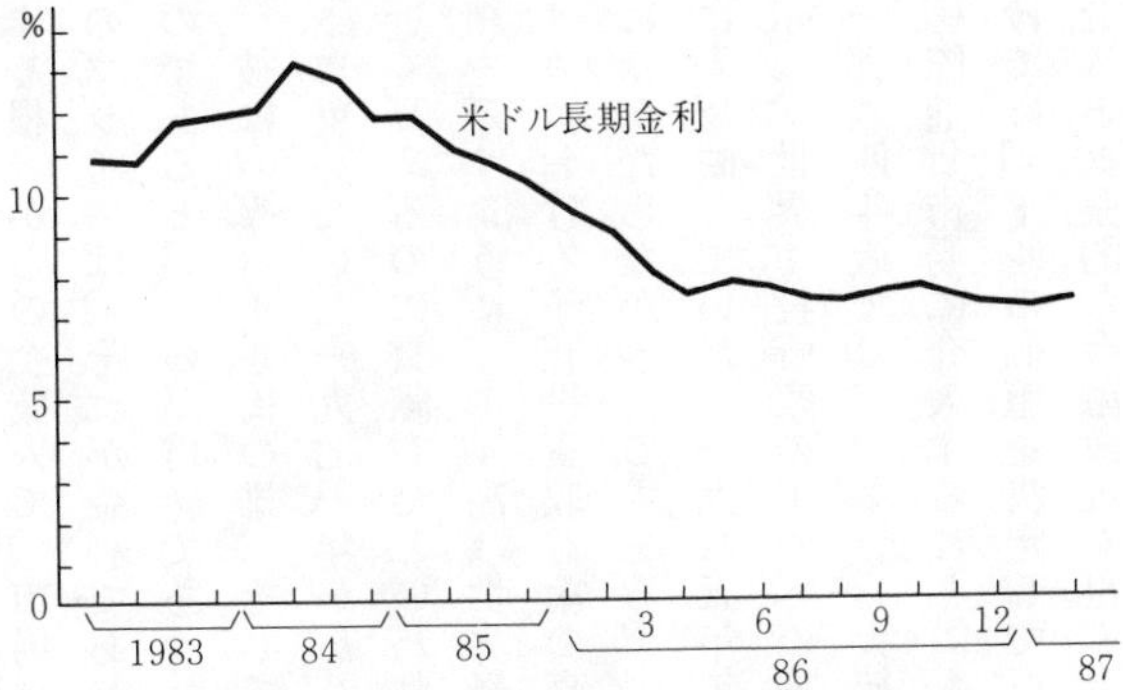

（注） 20年物国債流通利回り月中平均，87年1月以降は
10年物より換算
（資料） IFS

図II-2 米ドル長期金利の推移

安誘導政策への布石であろうとは、おそらく当時、日本政府も日銀も全く予想しなかったにちがいない。

図II-1は、ドル・レートの動きを示し、図II-2はアメリカの長期金利の動きを示している。これらを見ると、明らかに、レーガン政権第一期のドル高、高金利に比べて、第二期はドル安と金利低下への大転換によって特徴づけられていることがわかる。

ドナルド・リーガン前財務長官は、一貫してドル高、高金利をアメリカ経済の強さを示すバロメーターと理解していた。彼は、金融緩和や、M_1（現金通貨プラス預金通貨）の伸びを動かすことでボルカーFRB議長に楯突く以外、小さい政府、デレギュレーション（規制緩和）を信条とする根っからの企業人で、市場への介入など全く論外の措置であった。かれにとっては、通貨のプライスは、それが金利であれ為替レートであれ、すべて市場の決定に任せるべき性質のものであるというのが信念であった。

彼は、ウォール街の雄、そして〝マネーゲーム〟の巨大会社、メリル・リンチ社の会長ポストに就いていた一九七一年から八五年までの一五年間に、メリル・リンチ社の収益を三五〇％近く高めるのに貢献したといわれている。財務長官としての彼の判断では、株高が企業の好成績を示すように、ドル高は世界経済におけるドルへの信認の強さを示し、また高金利は、アメリカにおける予想投資収益率の高さの反映であって、いずれも、強いアメリカ経済のシンボルにほかならなかったのである。このリーガン財務長官の見解は、『アメリカ大統領経済報告』にも反映していた。一九八五年年頭のそれには「ドル高は、アメリカ経済への信頼の高まりを示し、世界の投資家のドルへの期待を示している」という表現が残っていたし、またその前年一九八四年版では、レーガン大統領の見解が「私は、また、ドル交換価値を低下させるために国際通貨市場に介入することにも、強く反対するものである。単に為替市場に介入することだけでは、ドルの価値を決定しているファンダメンタルな要因を消すことはできない。……市場介入と拡張的な金融政策を組み合わせれば、ドルの価値を下げることができるだろう。しかし、それは、容認しがたいインフレ率の上昇を招くであろう。したがって、ドルは、市場への介入なしに、その本来の価値を見出すに任さざるを得ない」と表現されている。またレーガン大統領は、一九八五年二月の記者会見においてもなお「ドル高は問題であるどころか祝福されるべきことである」といいきっていた。しかしその間、アメリカの貿易収支の赤字は六七四億ドル(八三年)から一一二六億ドル(八四年)に急増しつつあった。

市場介入の公表

ところが、一九八〇年までテキサスの法律事務所のパートナーであった現実主義者ベーカー新財務長官は、就任二週目の八五年二月一五日(金)、記者会見し、二月四日以降一五日までの間にひそかに市場に介入してドル高抑制措置を試みた旨、明らかにした(ワシントン一五日発、共同による)。もちろん介入そのものの日時、回数、規模など具体的な内容については依然として秘密とされ全く言及されなかったが、この時点においてすでに介入は、「市場が無秩序になっている際、最も効果的であった」と、介入政策そのものについては全面的に肯定されたことが注目されよう。日本やヨーロッパ諸国の通貨当局は、従来も必要に応じドル高に対処して何度も介入してきたが、アメリカ政府の直接の介入は、これが最初であり、またその事実を公式に発表したのもきわめて異例のことであった。*

＊　「もっとも一九八一年五月当時のスプリンケル財務次官は、いわゆる〝ミニマム・インターベン

ション・ポリシー〟として条件つきで市場介入を認めた」こともあり、また一九八三年四月ワシントンで開かれた先進七ヵ国蔵相会議においては、「外国為替市場への介入の役割は限定的なものだが、短期的でしかも介入を補う経済政策を使えば有効であるといえる」という内容を盛った共同声明が採択されたこともあるし、一九八三年ウィリアムズバーグ・サミットでも協調介入は急激な為替変動を防ぐ有効な手段として確認されていた。しかしこれらの介入はあくまでも「相場の乱高下を抑えること」を目的とするものであって、「ドル相場の基調を変えること」を目的とするものではなかった。ベーカーの財務長官就任以降、アメリカの介入政策の基本性格が変わったのである(新井陽「ドル売り国際介入」『日経』一九八五年一〇月一八日)。

もっともアメリカ最初の介入はきわめて小規模で、「介入にもかかわらず、ドルは高騰しつづけた」とベーカー長官自身も認める程度のものであった。しかし二月一三日の東京市場では、ドルは二六四円四五銭の高値を示していたが、記者会見後の一五日ニューヨーク市場では一ドル＝二五五円台となり、大きく円高の方向へ動いた。このことは、秘密裡に行なわれた実際の介入よりも、その公表という「口先介入」(talk down or up)の方が市場に対して有効であることをベーカー長官に強く印象づけたかもしれない。

円高・ドル安への誘導のスタートは、かくて一九八五年九月プラザ合意よりさらに遡り、その年の二月、ベーカーの財務長官就任直後すでに企図され実行に移されていた事実を確認しておくことが必要であろう。このことは、プラザ合意以降の円高・ドル安誘導は、あくまでも政治家ベーカーの一大決断であって、通貨当局の発想の域を大きく越えるものであったことを意味している。また、この時期、ボルカーFRB議長の通貨政策に必ずしも大きな変換がみられたとは考えがたいからである。

ひきおろされた旗印

国際経済研究所(ワシントン)のフレッド・バーグステン所長が指摘するように、リーガン財務長官時代の〝強いドル〟は、①自由市場を求める思想、②レーガン政権の国際的威信、③資本流入による財政赤字のファイナンス、④インフレーション抑制、という四つの要請を同時にみたす政治的旗印であったにちがいない。しかし政治家ベーカーにとっては〝強いドル〟の理念よりもアメリカ議会と産業界に台頭しつつある保護主義の危険の方が重要であり、いまや〝異常なドル高〟こそ、〝高い失業率〟にもまして保護主義の有力な先行指標そのものになってきたと見る風潮もまた軽視できなくなっていた。そのベーカーが財務長官に就任した以上、〝強いドル〟の政治的旗印は、いち早くひきおろされる運命を免れ得なかったと見てよいであろう。*

＊　ベーカーは、もっぱら円高・ドル安誘導政策のみを保護主義抑止の有効手段と考えていたようで

あるが、保護主義の台頭を抑えるためには、何よりも貿易不均衡の是正こそが重要であろう。円高・ドル安誘導は、単に貿易不均衡是正の一手段にすぎない。もし円高・ドル安誘導の結果、貿易不均衡に顕著な改善がみられない場合には、再び保護主義がたちまちにして台頭してくることは明々白々であった。(事実、大幅な円高・ドル安を実現した後、一九八八年八月三日アメリカ上院はスーパー三〇一条など保護主義的な条項を含む包括貿易法案を八五対一一の圧倒的多数で可決した。それに対してレーガン大統領は日本政府などの懇請にもかかわらず拒否権を発動するに至らなかった。)

八五年九月二二日昼前、プラザホテルにG5の取材と写真撮影のためにつめかけた記者団に対して、ローソン・イギリス蔵相が五人の蔵相と五人の中央銀行総裁の並び方について、「蔵相が前列か、中央銀行総裁が前列か?　それが問題だ」と冗談まじりに問いかけて笑わせたそうであるが、結局前列に出てきたのは、ベーカー財務長官であって、長身のボルカーFRB議長でなかったという事実も、この転換を印象づけるきわめて象徴的なエピソードであろう(岡部特派員「ドルの国際政治学」『日経』一九八六年一月八日)。

モルガン銀行の国際エコノミスト、リマ・ドフリーズ氏は、また同時に「累積債務問題が深刻化すれば、アメリカの足もとで政治危機が発生しかねない。それがアメリカにとって何を意味するか、ベーカー長官は政治家として一番よく知っている」と述べ、ドル高是正と累積債務国問題の二つに対するベーカー提案を〝ベーカー・プラグマティズム〟と呼んだのである。

プラザ合意まで

以上のベーカー・プランがどのような手順を経て九月二二日のプラザ合意に結実したかについては、幸いにして朝日新聞ワシントン特派員船橋洋一、同編集委員早房長治両氏によるすぐれた報告「虚々実々の通貨マフィア」(『朝日』一九八五年一〇月三日)がある(またあわせて船橋洋一著『通貨烈烈』第一章のすぐれた叙述を見よ)。その要点を年表風に紹介しておこう(引用文は、すべてこの報告によっている)。

八五年三月下旬。ベーカー・プランをダーマン財務副長官(リーガン財務長官交替と同時に、介入反対派のスプリンケル財務副長官も転出したあと就任)、マルフォード財務次官補、ダラーラ財務次官補代理に打ち明け、ドル高修正戦略の腹案作りに着手する。それを更に実現の方向にすすめるために、上記四人(ベーカー長官、ダーマン副長官、マルフォード次官補、ダラーラ次官補代理)のほかに、シュルツ国務長官、リーガン大統領首席補佐官らを加えた八人のメンバーから構成された新設の秘密グループによって具体案の検討が開始される。

六月。外為市場への協調介入によって相場をドル安方向へ強引に誘導するためにG5を利用するという作戦プランを完成。このプランに対して「レーガン大統領のお墨付き」も獲得し、日本を作戦の第一目標と定める。

当時をふりかえって、ある財務省スタッフは、「西欧三国は足並みをそろえるのに時間がかかるばかりか、下手をすれば、期待した成果が生まれない。まず日本と手を組み、それから西欧にあたるのが上策と考えた」と述べている。

六月二二日、東京で一〇ヵ国蔵相会議(G10)が開催されたが、その数日前、マルフォード次官補は、大場智満大蔵省財務官と会談、その場で協調介入プランを日本側に切り出した。大場財務官は乗り気で「G10にその話を持ち出し、コミュニケにもそれを示唆する文言を入れよう」と逆提案し、マルフォード次官補もそれに賛成したが、この逆提案は実現をみるに至らなかった。

七月。その後も日米間の話し合いは続き、パリで、マルフォード次官補は大場財務官に、協調介入に入る条件として日本の内需拡大を要求した。このことは、内需拡大が伴いさえすれば、大幅な円高を要求するまでもないことを意味していたはずである。ところが内需拡大の中に「減税の実施」要求が含まれていたため大場財務官がこれを強く拒否し、〃しらけた気分〃のまま両者は別れたという。このことは、当時日本側が、あくまで臨調(=増税なき財政再建)路線堅持の方針に固執していたことを有力に物語っている。

八月。再びアメリカ側の働きかけが積極化する。「その背景にはアメリカ議会が保護貿易主義に急傾斜し、このままでは年内に保護主義法案の可決は避けられない、という判断があった」。ということは、明らかにベーカー・プランのねらいが、もっぱら民主党の保護貿易法案に対抗する貿易赤字対策にあったことを意味していよう。

マルフォード次官補はその後、ハワイにおける大場財務官との会談の中では、日本に向かって減税要求を出さなかった。日米経済摩擦の深刻化、とくにアメリカ議会の動きを危惧していた大場財務官は、チャンスとみて、「アメリカが協調介入によるドル高修正の方針を打ち出すなら、日本は積極的に協力する。西欧三国を打診してみてはどうか」と再提案を行なっている。西欧三国(西ドイツ、イギリス、フランス)の協調介入に対する態度は冷たいものであった。とくに西ドイツは、「一月に協調介入を決めた時、西ドイツは誠実に実行した。ところがアメリカは格好だけ。またいまごろ何だ」とけんもほろろであったという。しかし、マルフォード次官補のねばり強い再度訪問によって三国いずれも軟化し、「気乗り薄」ながら協議に応じるまでにこぎつけた。このころ、ボルカーFRB議長もアメリカ側のドル安誘導作戦の秘密グループの中に加わる。

九月に入って、G5への準備は急ピッチに進捗した。九月一五日のロンドン蔵相代理会議で協調介入、経済調整案の大筋が定まった。

G5の開催日は、もっぱら竹下蔵相の都合で二二日に決定した。西欧三ヵ国は、もっと遅い開催日を望んだという。日本の場合、「大蔵省の中でも、G5開催を知っているのは竹下蔵相以下数人だけ。中曽根首相に報告したのは二日前。自民党三役には竹下蔵相が置き手紙して出発したようだ」。また『朝日新聞』(一九八七年一〇月一九日)によると、「竹下蔵相は出発の朝から成田空港近くでゴルフをし、日航機でなく、わざわざパンナム便によってニューヨークに飛ぶといった」隠密行動であったという。それほど「日本政府の慎重ぶりが目立った」と、アメリカ国務省スタッフが洩らしている。なぜ、かくも慎重だったのであろうか。本来G5が秘密会議であることもその理由の一つであろうが、円高・ドル安誘導を明確に目標とする会議であったからにちがいない。万一それが事前に洩れれば、日本の輸出業者の猛反対は避けられなかったことだろう。

G5のコミュニケ作成にあたって問題となったのは、最後の三行であったという。日本側は「ドルの価値下落」、「協調介入」などの言葉を入れるよう主張したが、アメリカ側はこれを拒否した。「もしそんな文句が入ったら、依然、市場重視のリーガン首席補佐官がコミュニケを認めず、プランそのものがめちゃくちゃになってしまうからだ」とアメリカ財務省筋は説明している。

（2）G5という名の秘密会議

G5プラザ合意より一二年前、一九七三年の秋は、石油ショックによって強烈に印象づけられているが、同時に日本の通貨外交上〝歴史的に記録さるべき〟秋でもあった。一九七三年九月二四日、ケニア共和国ナイロビで開催された国際通貨基金（IMF）総会において、それまでアメリカ、イギリス、フランス、西ドイツの四カ国のみの間で非公式に開催されてきた事前の準備的な意見交換のための秘密会議（G4）に、日本がはじめて加わり、G5として発足するに至ったからである。*

日本のG5加入

＊　船橋洋一著『通貨烈烈』によると、G5の「発端は七三年四月。アメリカ、西ドイツ、フランスの蔵相がホワイトハウス図書館で、国際通貨政策を秘かに話し合ったことに始まった。アメリカはシュルツ、西ドイツはシュミット、フランスはジスカールデスタンが出席者だった」（一九八ページ）とされているが、これはG5というよりG3であって、この時点では日本は加入していなかったのである。

日本のG5加入については、当時蔵相であった故愛知揆一氏の貢献によるところ大である。

その事情についてはじめて触れたのは、速水優著『海図なき航海』(東洋経済新報社、一九八二年)であろう(以下の引用文は、この書物によっている)。

積極的な招待外交

一九七三年九月二四日から二八日まで、ナイロビの新築されたばかりの国際会議場(「ケニヤッタ・コンファレンス・センター」という名称をもつ)で開催されたIMF総会では、通貨改革にかんする第一次案(七二年九月の総会で設立が決定された通貨改革二〇カ国委員会蔵相会議(C20)代理議長の名をとって「モース案」と呼ばれている)がとり上げられ、原則的な合意点と対立点とが明らかにされ、七四年七月末までに実質的な合意に達しうるように代理会議に討議を続行するよう指示されていた。モース案にかんする主な合意点の中には、特別引出し権(SDR)を主要な準備資産とし、金やドルの役割を軽減する点とか、ドルのほかに円やマルクを用いて各国が為替市場に介入し、市場を安定させる点など、通貨改革にかんする注目すべき提案が含まれていた。

しかし、その年就任したばかりのウィッテフェーン(H. J. Witteveen)IMF専務理事は、ナイロビ総会の閉会に際して、「今回は、通貨改革の青写真は得られなかったが、大筋のレールは敷かれた。自分は楽観も悲観もしていない」と慎重な発言でしめくくった。その三週間後、第四次中東戦争勃発によって第一次石油ショックが発生し、新しい国際通貨制度に関して論議をすすめる国際的環境を大きく動揺させてしまおうとは、当時、ウィッテフェーン専務理事にも全く予想されていなかったようである。

このナイロビ総会でとりわけ注目をあつめたのは、日本の積極的な招待外交である。総会二日前、九月二二日、愛知蔵相は、アメリカ、西ドイツ、フランス、イギリス四カ国の蔵相とワルダナ二〇カ国委員会議長(インドネシア蔵相)、モース同蔵相会議代理議長を、在ケニア日本大使館(中根正己大使)公邸に招き、モース報告の取扱いについて先進国間の根回しを行なう調整役を積極的にかって出た。その日の晩さん会には日本からはこび込んだ樽酒と、杉の香り高い一合升を用意して、天ぷらに舌つづみをうって歓談したという。夕食のあと、五カ国の蔵相のみが別室に集まり、「今後の通貨改革のスケジュールを話しあったようだ」(一一二ページ)という。この秘密会議以来、従来のG4に日本を含めた五カ国会議(G5)が正式に発足し、今日に至っているのだ。『フィナンシャル・タイムズ』紙のポール・ルイス記者は、「五カ国会議では、各国の大蔵大臣を酒で酔わせたところで事を進めた。これは日本のConspiracy(陰謀)だ。まだ内容は固まっていないし、先行きはgloomy(暗い)だ」(『フィナンシャル・タイムズ』一九七三年九月二四日)と書いている。

なお、愛知蔵相は、このG5成立に先立って、コナリーに代わってアメリカの財務長官に就任したばかりのシュルツ氏と、あの有名なナイロビ国立公園の真中を突っ走る自動車の中で密談を重ね、日本加盟について協力をたしかなものにしたという。なお生みの親、愛知蔵相は惜しくもG5のパリにおける第二回会議開催直前、その年一一月二三日に肺炎で急逝された。

(3) 為替レート変動のスピード

ベーカーの会見

話を一九八五年九月二二日のG5に戻そう。G5はニューヨーク時間二二日午前一一時半(日本時間二三日午前〇時半)から開催されたが、異例のことに会議後、ベーカー財務長官が記者会見し、その席でいわゆる〝プラザ合意〟について公表した。その ポイントは、その結論部分にあたる次の第一八節の中に見出されよう。

「大臣及び総裁らは、為替レートが対外インバランスを是正する上で一定の役割を果たすべきであることに合意した」。

「このためには、為替レートがこれまで以上に経済の基礎的諸条件(fundamental economic conditions)をよりよく反映するものにならねばならない」。

「大臣および総裁らは、ファンダメンタルズの現状および見通しの変化から見ると、(非ドル）主要通貨の対ドル・レートはある程度、いっそうの秩序ある上昇(further orderly appreciation)をした方が望ましいと信じている。彼らは、そうすることが有益であるときには、対ドル・レートの秩序ある上昇を促進するようより緊密に協力する用意がある」。

この中で注目すべき認識は、次の三つである。第一に、為替レートの調整によって対外インバランスの是正が可能であり、それが有効であるということ。第二に、為替レートは各国のファンダメンタルズを反映したものとなる必要があること。そして第三に、為替レートの調整は、ドル・レートの全般的下方調整によるのではなく、主要通貨（とくに円とマルク）の対ドル・レートの秩序ある上昇によって行なわれるべきこと。

本書は、一九八五年九月二二日G５におけるこの三つの基本認識を検討することを目的としている。これらの検討は、章を追って試みられるであろう。

なお、このプラザ合意の直接的な目的は、九月二三日ホワイトハウスでレーガン大統領によって発表された新通商政策に関する声明と呼応して、アメリカ国内およびアメリカ議会において高まっている保護主義の動きを弱めることであったといわれる。この点についても、いずれ検討を加えることになろう。

さて、図Ⅱ-3は、東京外国為替市場における円レート(終値)の動きを、一九八五年九月より一九八七年一〇月に至るまで描いている(下方の図は一九七一—八七年の円レート(終値)の推移)。この軌跡上のそれぞれのポイントについての詳細な叙述は紙幅の関係で省略し、それらの諸事実から析出される若干の問題点について考察を加えておこう。

稀に見るスピード

東京外国為替市場の円相場は、一九八五年九月二〇日(終値、以下略す)には一ドル=二四二円〇〇銭(一〇〇円=〇・四一三ドル)であり、一九八七年一〇月一九日ブラック・マンデーには、一ドル=一四一円三五銭(一〇〇円=〇・七〇七ドル)であった。二年一カ月間で一ドル当り一〇〇円六五銭(一〇〇円当り〇・二九四ドル)の円高・ドル安となり、変化率は七一・二%にも達している。先進国為替レートの変化率としては、稀に見るスピードといってよいだろう。

次に、そのスピードを一〇円きざみにして示すと、次の表Ⅱ-1の如くなる。一ドル=二四〇円より二三〇円に至る日数は四日間であるが、九月二一日(土)、九月二二日(日)そして九月二三日(秋分の日)の三日間は三連休であったから、実質はG5以後はじめての取引日に一二円近く円高になったのである。一日の動きとしては記録的であろう。それにつづくのは二三〇円から二二〇円に至る三日間である。一〇円きざみの円高スピードの早さは表Ⅱ-1「順位」に示した通りで、一番長くかかったのは一六〇円から一五〇円に至る二六二日であろう。

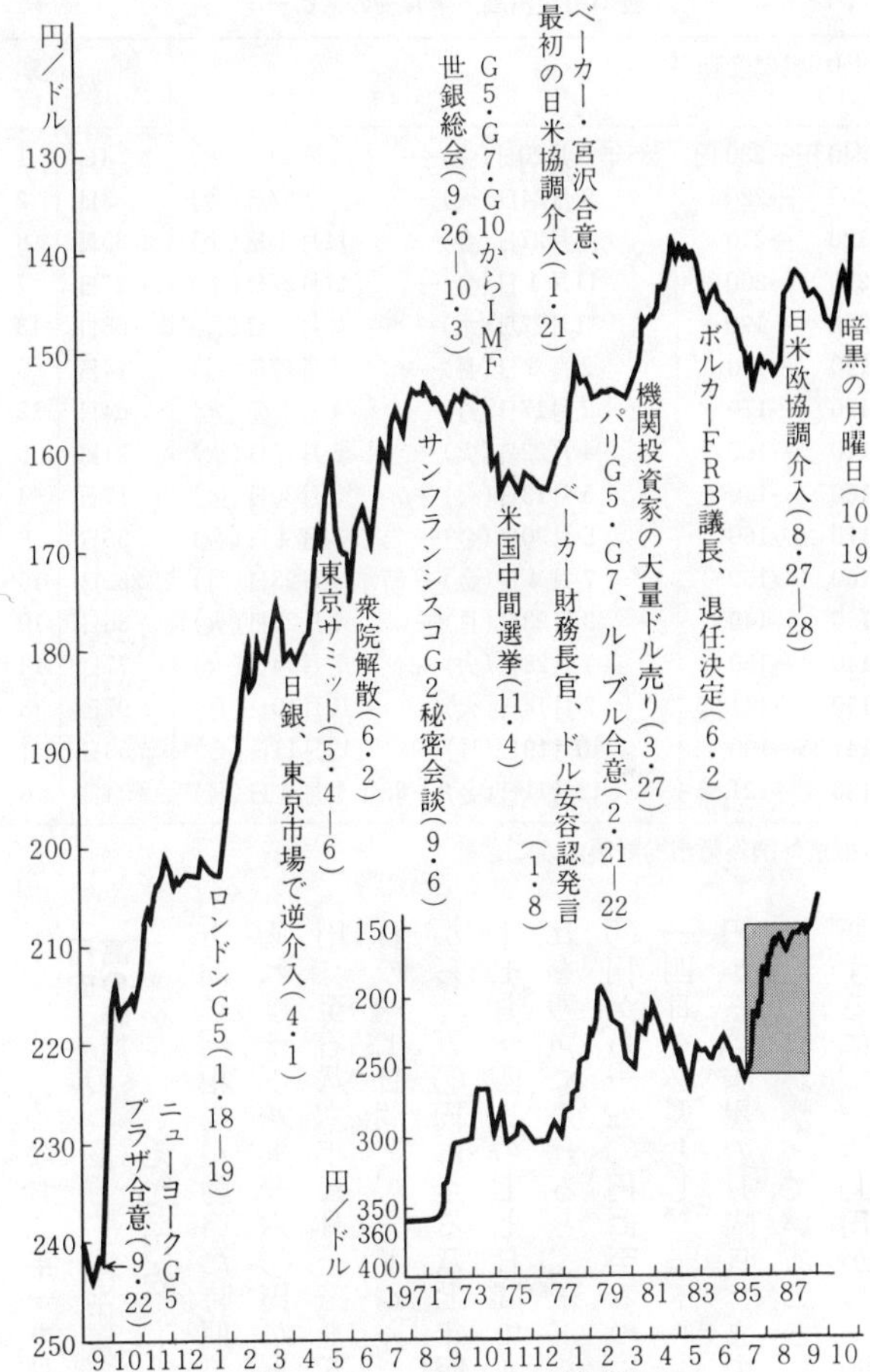

図II-3　円レートの動き（東京外国為替市場）

表II-1　円高・ドル安のスピード

円相場の変動（1ドル＝）	所要期間		日数	順位
240円→230円	'85年9月20日(金)—	24日(火)	4日	1
230　→220	9月24日(火)—	27日(金)	3日	2
220　→210	9月27日(金)—	11月1日(金)	35日	8
210　→200	11月1日(金)—	11月27日(水)	27日	7
200　→190	11月27日(水)—	'86年2月3日(月)	68日	13
190　→180	2月3日(月)—	2月17日(月)	14日	3
180　→170	2月17日(月)—	4月22日(火)	64日	12
170　→160	4月22日(火)—	5月13日(火)	21日	5
160　→170	5月13日(火)—	5月30日(金)	17日	4
170　→160	5月30日(金)—	7月4日(金)	35日	8
160　→150	7月4日(金)—	'87年3月23日(月)	262日	16
150　→140	3月23日(月)—	4月28日(火)	36日	10
140　→150	4月28日(火)—	7月14日(火)	77日	14
150　→141.35	7月14日(火)—	10月19日(月)	97日	15
141.35→130	10月19日(月)—	12月11日(金)	53日	11
130　→121.65	12月11日(金)—	'88年1月4日(月)	24日	6

東京外国為替市場終値のうごき

円安・ドル高の時期

なお二年一ヵ月中、二度、（一〇円の幅を超えて）円安・ドル高の方向に円相場が動いた時期がある。それは一ドル＝一六〇円から一七〇円へ至る八六年五月一三―五月三〇日の一七日間と、一ドル＝一四〇円から一五〇円に至る八七年四月二八―七月一四日の七七日間である。これを考慮に入れると、一ドル＝一六〇円から一五〇円に至るのに合計三一四日を必要とし、一ドル＝一五〇円から「暗黒の月曜日」までに合計二一〇日かかっていることになる。要するに、一六〇円から一四〇円に至るまで一年半近く経過していることになる(この期間のほぼ中央に、これ以上のドル下落を求めないことを確認した二月二一日のルーブル合意が位置している)。

反対に一ドル＝二四〇円から二〇〇円に至るまでの期間は、わずか六九日間である。また一ドル＝一九〇円から一八〇円に至るのも一四日間にすぎない。しかし、一ドル＝二〇〇円から一九〇円に至る期間と、一ドル＝一八〇円から一七〇円に至る期間は、いずれも二カ月以上を要している。日銀の介入が盛んであった期間である。政府・日銀はG5直後、一ドル＝二〇〇円を目標値とし、また一九八六年二月半ば当時、一ドル＝一八〇円＝二・三五マルクを〝黄金の三角〟とみる見方を一つの抵抗線と考えていたことがうかがい知られよう。

（4）日本銀行の市場介入

ドル売りから円売りへ

アメリカ・ニューヨーク連銀(連邦準備銀行)の市場介入については、四半期ごとの報告〝Treasury and Federal Reserve Foreign Exchange Operations〟が発表されており、それを利用することができるが、日本銀行の市場介入については公表統計は入手できない。しかし、日銀の場合、特筆すべき介入の転換がみられた。

現在では、日銀の介入といえば〝円売り・ドル買い〟介入であることはほぼ常識になっている。あまり急激な円高を回避しようとする配慮が働いているからである。しかし、G5の直後、一九八五年九月二四日から月末にかけて日銀が協調介入に率先して踏み出したのは、実は〝ドル売り・円買い〟のための市場介入であった。日銀が、今日に至る円高ドル安の口火を切ったことは注目に値する事実である。

ニューヨーク連銀の発表によると、G5以後一〇月末までのドル売り介入額は合計三一億九九〇〇万ドルであった。この期間、日銀のドル売り・円買い介入の規模は三〇億ドル以上。G5のうち、その他(西ドイツ、イギリス、フランス)の介入額合計三〇億ドル、G10加盟国(そのうちG5加盟国を除く)の介入額はほぼ二〇億ドル以上。したがって、この時期合計一一二億ドル以上の規模のドル売り協調介入が実施されたことになる。

ところが、円相場が一ドル＝一八〇円を突破し、さらに一七五円を越えて円高が進んだ一九八六年三月一八日、日銀は、今までの市場介入(ドル売り・円買い介入)を突然逆転させて、ニューヨーク市場でドル買い・円売り介入(逆介入)に踏み切ったのである。東京市場ではじめて逆介入(ドル買い・円売り介入)を実施したのは四月一日のことであった。そして、そのような日銀によるドル買い・円売り介入は、一九八八年一月頃まで断続的に実施されてきたことは周知の通りである。

しかしアメリカ通貨当局が明らかにしたところによると、三月一八日、日銀がニューヨーク外為市場で行なった逆介入について、日本通貨当局は事前に協調介入をアメリカ側に打診してきたという。ところがニューヨーク連銀はこれを拒絶したため、ニューヨーク市場における日銀の単独介入にとどまった。

もしもこの逆介入の段階に立ち至って、逆介入の日米協調がこれほどまでに不確実で足並みの揃えにくい性質のものであることを事前に予知することができたなら、政府・日銀ははたしてG5のプラザ合意後一九八五年九月二二四日、ドル売り・円買いの協調介入に率先して踏みきったであろうか。いずれにせよ、三月一八日以降G5合意が大きな曲り角に立ち、〝日米協調介入〟から〝日米ちぐはぐ介入〟の方向へ新展開をはじめることになったことだけは事実である。

日米間の協調介入

この点についてM・フリードマン(Milton Friedman)は、G5以降の協調介入に対して次のようなコメントを下していた(『日経』一九八六年七月七日付による)。

「G5や東京サミットなどを通して政策協調の動きは強まったといわれるが、協調をめぐる話し合いはあったとしても、実効ある政策協調はあったためしがない。日本の通貨当局はアメリカに協調したように見えるが、それは自国の利益につながる時に限られている。日本の利益にならないと考える時には、日本の通貨当局はアメリカと協調行動はとらないだろう。アメリカにとっても、それは同じことである」。

フリードマンの基本的な見解は、たとえドルが高すぎても、また円が高すぎても、為替相場の行方はすべて市場に任せるべきで、通貨当局が口をさしはさむべきでないという点にある。その立場からのコメントではあっても、以上の指摘はたしかにG5後の協調介入の弱点を突いている。しかしそれにもかかわらず、また時には日米間にちぐはぐ介入がみられたとしても、暗黒の月曜日を経験したあとも依然として日米間で協調介入がつづいているのはなぜであろうか。この設問に対する答えを探求することも、本書の一つの重要課題である。

その結論を先取りしていえば、「日本のポジションとアメリカのポジションが相互にかなりの程度ミラー・イメージである」(C・F・バーグステン)とか「日本とアメリカは世界経済におけるシャムの双生児」(T・マクロー)といわれており、この日米相互間の奇妙な部門別資金過不足状態が、そのなぞを解明するカギとなることであろう(詳細はⅢ「ドル安・円高の構造」を見よ)。

市場介入の限界

もう一つ、市場介入の限界について触れておこう。「プラザ合意直後の介入は、ドルの下落を予想していた市場の見方の再確認に役立った」。しかし「現在(一九八七年)の状況は、二年前と少なくとも一つの重要な点において異なっている。政策目標は今やドル相場をある方向に誘導することではなく、その安定を図ることにある。しかもアメリカの経常収支赤字が大幅でなかなか減らず、市場ではドルの弱気観が抱かれている時に、その安定化が図られなければならない。このような状況下では、安定化の責務を介入だけに委ねておくことはできない。流れに逆らう場合の介入の有効性は、そのアナウンスメント効果に相当程度(おそらくはほぼ全面的に)依存している。介入が言行一致を図ろうとする当局の意志決定の表われとして市場で理解されるなら、すなわち当局は、ファンダメンタルズを正しい方向に持っていくため、適切な政策手段を喜んでとるし、またそれができるという意志表示として、介入が市場に理解されるなら、その時こそ介入は本当に目的に適うであろう。さもなければ、介入はやがて有効性を喪失することになろう」(Bank for International Settlements, *Fifty-Seventh Annual Report*, Apr. 1, 1986–Mar. 31, 1987. 東京銀行調査部訳『世界金融年報一九八六―八七年』二五三―二五四ページ)。

ここに指摘された介入の限界は、今後のドルと円の行方を見定める時にもきわめて重要な論点であろう。

日銀の介入とマネーサプライ

つぎに、介入とマネーサプライの関係について考えておこう。一般的にいって、日銀や西ドイツ連銀が外為市場で円売り・ドル買い、あるいはマルク売り・ドル買いの介入に出ると、外貨準備が急増し、それに見合う円資金あるいはマルク資金が国内金融市場に大量に流出することになる。日銀の場合について、もう少し詳しく見ておこう。

「日銀の介入」といいならわしているのは、正確には大蔵省の代理として日銀が行なう、外国為替資金特別会計による外貨(ドル)の売買のことである。一九八七年一月半ば頃を想定して、一億ドルのドル買いのために一五〇億円の円を売るケースを考えてみよう。外為会計がドル買いを行なおうとする場合、まず一五〇億円相当の外国為替資金証券(期間一年以内の短期政府証券)を発行し、それを日本銀行に引き受けさせる。外為会計は、日銀を代理人として日銀から入手した円資金一五〇億円をもって民間企業が外為銀行に売りに出した外貨(一億ドル)を買い入れる。日銀保有の外為証券は一年以内に償還をはからねばならないから、そのため外為会計は、介入によって手に入れた外貨(一億ドル)を日銀に売却することによって、円貨(一五〇億円)を確保し、その円貨をもって外為証券を償還することになる(図Ⅱ-4を見よ)。以上の介入のプロセスは多少入りくんでいるが、結局、日銀の保有外貨(ドル)が一億ドル増加し、外為銀行を介して外貨を売った民間企業の手に一五〇億円の円貨が供給されることになる。かくてドル買い・円売り介入は、国内のマネーサプライの増加となる。

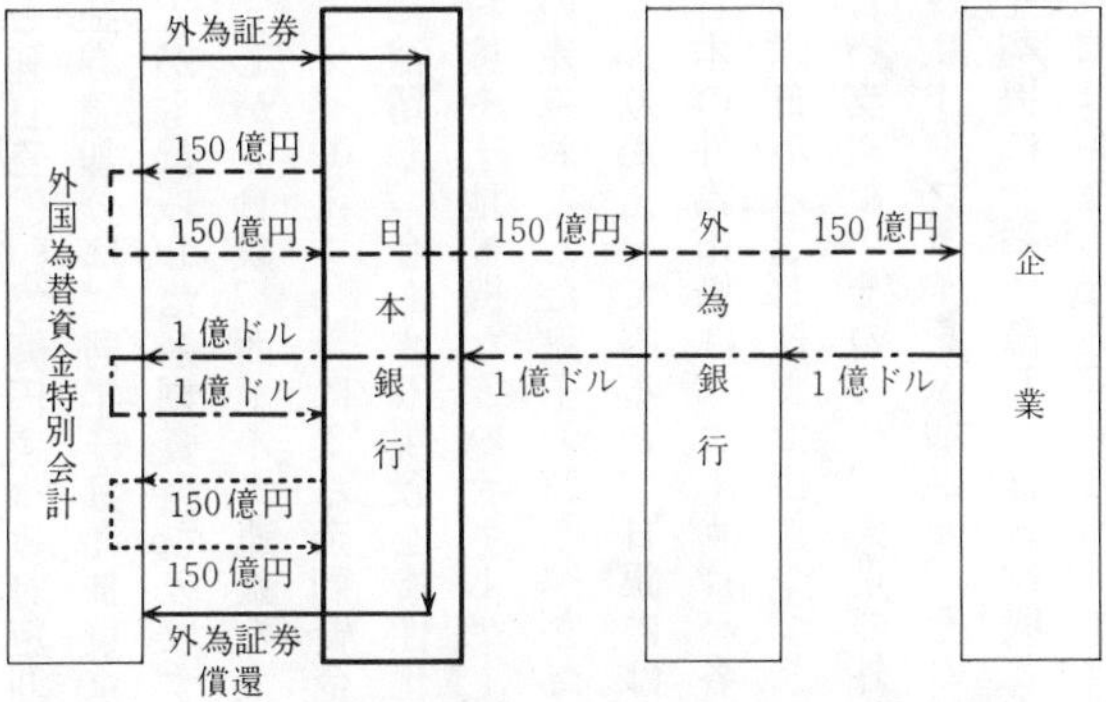

図II-4 日銀の円売り・ドル買い介入

金あまり現象へ

一方、アメリカの方ではニューヨーク連銀がドル買い介入を行なうと、金融市場におけるドル資金が欠乏し、当局が放置しておく限り、金利の上昇が生じてしまう。

かくて資金過剰の発生を警戒する日銀と西ドイツ連銀では売りオペレーション(公開市場操作)によって資金を吸収し、ニューヨーク連銀では、資金不足、金利上昇の発生を抑えるため買いオペレーションを行なうのが普通である。

一九八七年一月の大量介入時には、西ドイツ連銀は、売りオペレーションによって七日に約一五〇億マルク、一四日には約一三〇億マルクと、大量に国内市場からマルク資金を吸収している。日銀の方も「介入によって生じた円の余剰資金はなるべく政府短期証券の売却によって吸収する」と考えており、一月一三・一四日と連日三〇〇〇億円ずつ政府短期証券を売って円資金を吸収した。このうち一三日の政府短期証券売却分は、同年一月九日東京外為市場で実施した約二〇億ドルに及ぶドル買い・円売り介入がもたらした余剰資金を吸収するものであった。

しかし日銀、西ドイツ連銀の大規模なドル買い介入が長期間にわたって連続実施されると売りオペレーションによる余剰資金吸収にも限度があり、どうしても未吸収の過剰流動性が市場に滞留し、金《かね》あまり現象を慢性化するおそれがある。その後、日本において顕著になった株式投機や土地投機などのマネーゲームもまた、このような円高抑制のための懸命なドル買い介入の産みおとした鬼子というべきだろう。

ふりかえってみると、日銀には、一九七一年ニクソン・ショック後の苦い経験がある。当時、日本の外為市場は、ヨーロッパ各国の外為市場がすべて閉鎖されているなかで、ひとり、八月一六日から二七日までひきつづきオープンし、しかも一ドル＝三六〇円レートのままでドルを買い支えた。そのため、大量の外貨流入となり、それが日銀の海外資産勘定の膨脹をもたらし、マネーサプライを激増させ、その結果三兆円近い過剰流動性を発生させ、『日本列島改造論』を契機に一挙に激しい株式投機と土地投機のラッシュと狂乱インフレを現出させた経験こそそれにほかならない（これについては拙著『日本経済の構造と行動』下巻、第七章「企業投機家時代」を参照されたい)。

ニクソン・ショック後の一九七一年末、日銀の海外資産勘定は、前年末に比べて三・四二兆円も急増したが、それはほぼ一〇〇億ドルほどの外貨買上げを反映するものであった。今回の日銀によるドル買い介入額も、日銀が一九八七年三月三一日発表した「一九八六年資金需給実績」(速報)によると、財政資金のなかで、外国為替資金特別会計の支払い超過分が四兆三五一〇億円に達したが、日銀の外為市場におけるドル買い介入資金がほとんどで、一九八六年平均レート一ドル=一六八円五二銭で換算すると約二五八億ドルを超え、一九七一年の二・五倍、戦後最高を記録した。この介入額の中には、日銀が各国通貨当局に委託した介入分は含まれているが、各国が自己勘定で協調介入した分は含まれていない。この四兆三五一〇億円の円資金の流出は、当然マネーサプライ(通貨供給量M_2+CD)を約一・四%分上昇させた勘定になる。*

＊　円高・ドル安を食い止めるために必要とする各国通貨当局の介入用外貨資金は、スワップ協定によって融通しあっている。たとえばアメリカ連銀が円売り介入する場合、日銀にドルを入金して引換えに円をアメリカ連銀に払い込んでもらう。スワップ協定に基づいて主要国が通貨交換を行なうときには、その時点において交換比率を決める。したがって交換後、為替相場が変わると、将来相手国に返す際に余分に支払わなければならなくなるケースもありうる。アメリカ連銀が日銀から一

一九八一年半ばから八二年第1四半期まで一〇%台の伸びを示していたものの、八二年第2四半期以降八六年第4四半期に至るまで鈍化傾向をつづけ、七―八%の推移をつづけていた。しかし一九八七年に入るとにわかに上昇傾向が復活し、五月以降、八八年二月まで九カ月連続して一〇%台を超える伸びをつづけ、特に八七年一一月には一二・四%、第4四半期一一・八%と、第二次石油ショック直後の一九七九年第2四半期(一二・三%)以来八年半ぶりの高水準の伸びを記録した。

このような激しいマネーサプライは、必ずしも名目GNP(フロー)の伸びによるものではなく、もっぱら土地・株式等ストック向けの投機資金の需要に向けられているものと思われる。それを論証するために、M_2+CDの流通速度(名目総需要÷(M_2+CD))を計算し、それを図示したのが図II-6である(この分析は『東銀週報』一九八八年一月二八日号によっている)。

この図II-6によると、「過剰流動性期」と呼ばれた「日本列島改造論ブーム期」(一九七二―七三年)の低い流通速度(一・三六三)をはるかに下回って、一九八七年には一・〇五九の低い流通速度を示すに至っていることがわかる。図に描かれたトレンド線に対して下方への乖離を示すのも、「日本列島改造論ブーム期」と、一九八六―八七年期の二回しかなく、流通速度のピークからの下降幅をみても、一九七二年の一九・八%よりも八七年の二四・六%の方がきわ立って

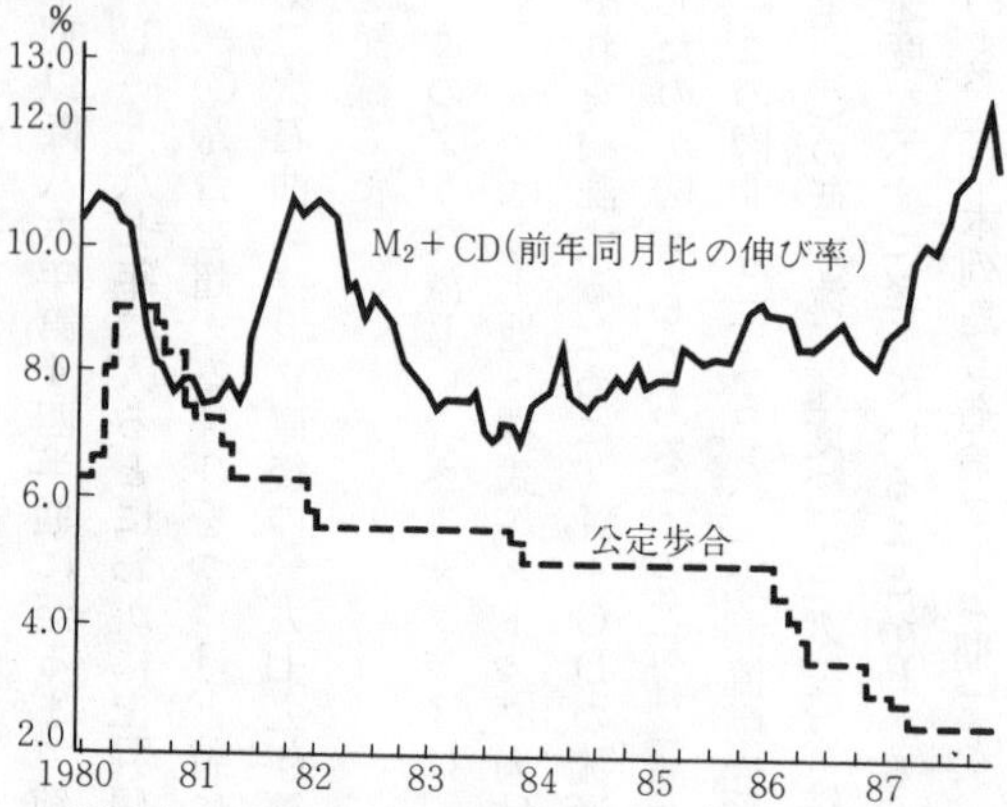

（資料） 東京銀行『東銀週報』1988年1月28日号

図 II-5　マネーサプライと公定歩合の推移

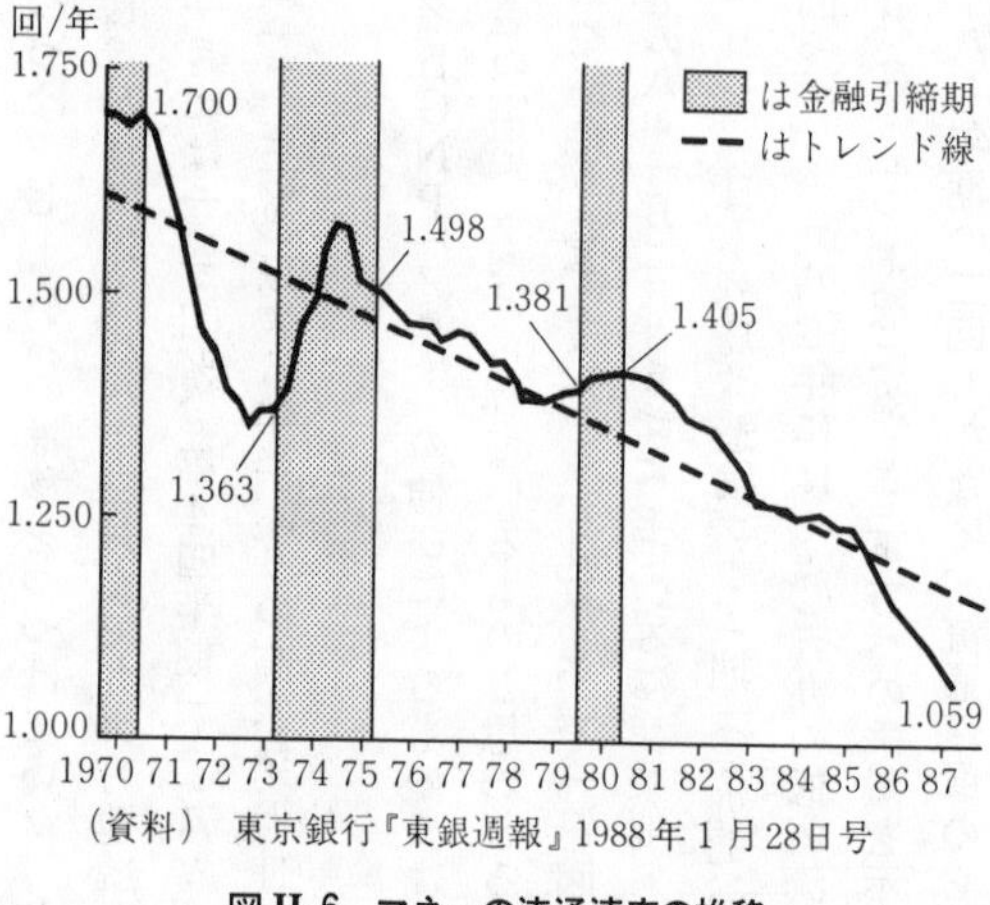

（資料） 東京銀行『東銀週報』1988年1月28日号

図 II-6　マネーの流通速度の推移

大きい。稀にみる金《かね》あまり現象というべきであろう。このようにフロー(名目総需要)に向けられなかった過剰流動性が、ストック購入、具体的には土地投機・株式投機(その一部は海外証券投資となりアメリカ市場向け株式・債券購入)に向かったことはいうまでもないであろう。

事実、一九八七年一月二一日国税庁から発表された最高路線価(相続税と贈与税の課税基準となる地価)は、四七都道府県庁所在地の平均で対前年一九・六%の上昇を示した。それは前年(一九八六年)の引上げ率(九・一%)の二倍に達し、「日本列島改造論ブーム」によって地価が高騰した一九七二—七三年以来の高い伸びを示す。〝狂乱地価〟と呼ばれた地価上昇率、一九七一年(一八%)、七二年(一四%)、七三年(一〇%)に迫る暴騰となった。

当時の地価上昇は全国的であったが、一九八六年以降のそれは、大都市の繁華街で高騰し(たとえば東京・銀座では実に年間七九・二%の上昇)、他方、中小都市においては商業地・住宅地いずれも地価は比較的安定しており、極端な〝二極分化〟現象が現われた。高騰の主要要因としては、〝デレギュレーション〟による経済取引の国際化、情報化に対応するためのビル需要が盛んである一方、前述したようにドル買い介入、円資金の過剰流出にもとづくマネーサプライによって資金に余裕を持つ大企業の投機熱や、転売によって利益をねらう地上げ屋の横行があげられよう。

(5) 口先介入と政治的配慮

ベーカー財務長官を中心に

プラザ合意以降のドルと円の軌跡を丹念に辿ってみると、G5以降のドルと円の動きが、各国政府の協調介入(ドル売り・円買い介入とドル買い・円売り介入の二方向の介入があったが、どちらかといえば有効であったのは前者のケースであった)ないし、〃より一層のドル高修正を〃とくりかえし訴えつづけたベーカー財務長官による口先介入によって、かなり大きく操作されてきたことが明らかとなる。ドル買い・円売り介入のケースも、大抵の場合、ベーカー長官による口先介入に抵抗して実施されたことが多い。協調介入についてはすでに触れたので、ここでは口先介入について見ておこう。

ベーカー長官自身、一九八七年一月二一日に開催されたベーカー・宮沢会談(G2)の席上「ドルについて責任をもって言えるのは、自分と大統領の二人だけだ」と発言している。したがって、この自覚に立って発言しているベーカー長官とレーガン大統領を中心に、口先介入の跡をたどっておこう。

ドル安容認　①最初の口先介入は、一九八六年二月二七日、東京外為市場の円相場が急騰し、一ドル＝一八〇円の大台を越えて一ドル＝一七九円にはね上がったときである。アメリカの議会証言においてベーカー長官の口から「秩序さえあれば、もう一段のドル下落も不快だと思わない」と「ドル安を容認する」重要な見解が発せられた。この発言はプラザ合意以降一貫して保持してきた〝ドル高是正〟の態度から一歩ふみ込んで「ドル安容認」の新段階に入ったことを印象づける重要な節目となった。この発言を受けて、二月一九日のニューヨーク外為市場では一時、一ドル＝一七七円のドル安を示した。

②一九八六年四月四日、ベーカー長官はNBCテレビの番組の中で、G5プラザ合意以降の協調介入によるドル高是正について触れ、他の主要通貨に対する現在のドル安水準に満足している、と珍しく〝為替安定是認〟の発言を行なった。その発言はたちまちニューヨーク外為市場に反映し、一斉に円売り・ドル買いがはじまり、円相場は午前一〇時現在一八〇円六〇―七〇銭まで下落した。前日までは、一七九円台の円高・ドル安であった。

③一九八六年四月二一日、レーガン大統領はロイター通信社など世界の有力通信社と会見したが、出席者によると、大統領は高騰をつづける円高相場について触れ、「円はドルに比べて(上がるべくして)上がっていると言える。(以前は)日欧の通貨が過小評価され、ドルが過大評

価されていたというのは妥当であると思う」と円高肯定の発言を行なったという(『朝日』四月二二日)。同日ニューヨーク外為市場は、この「円高容認」発言にすばやく反応し、円相場は一ドル＝一七〇円九五銭をつけ、またこの発言に刺激を受け、翌四月二二日の東京外為市場の円相場は一時、一ドル＝一六八円六〇銭まで高進した。

④東京サミットを控えて来日中のレーガン大統領は、五月三日、日米首脳会談において、「日本に困難が生じていることはよく聞いている」と一応理解を示しながら、「(円高は)大局的には貿易不均衡の調整に役立つ」と、かねてからの原則的立場を崩さなかった。さらに五月五日、来日中のローソン・イギリス蔵相も記者会見で「G5加盟国の多数は、中期的に円がさらに上昇することを期待している」と語った。それを受けてニューヨーク外為市場では円買いが殺到し、一気に一ドル＝一六五円に突入した。

⑤五月八日、「ドル安に失望していない」というベーカー長官の発言と、東京サミットで決定したサーベイランス(政策の相互監視)が始まると日本の大幅経常黒字が〝標的〟にされるという読みから、五月一二日、円高はついに一ドル＝一六〇円台を突破し、一五九円台を記録した。

⑥七月三〇日、シュルツ国務長官は、大統領の諮問機関「アメリカ大統領輸出協議会」において、「まだドル安に進む何らかの余地がある」と発言した。それに反応して、三一日の東京

外為市場は一時、一ドル＝一五三円八〇銭の最高値を更新した。

⑦一九八七年一月八日、ベーカー財務長官は、アメリカ上院予算委員会における公聴会証言に伴う質疑応答の中で、新年(一九八七年)になってからの円高・ドル安に対して、「非常に理にかない、秩序立って展開されている」と容認し、アメリカ側がこの段階で協調介入する意思のないことを示唆した。市場関係者は八六年一一月一日の宮沢・ベーカー共同声明を受けて、ベーカー長官は為替安定を擁護する発言をするものと期待していたが、反対の発言となり、ドル売り・円買いが強まり、九日午前の東京外為市場では一ドル＝一五七円台まで円高が進んだ。

⑧一月一二日、ワシントンで開催されたガーン(上院議員)財政研究所のセミナーにおいて、質疑応答で、ベーカー財務長官は欧州通貨制度(EMS)の調整後のドル相場について、「変わったことは何もない」と述べ、八日の発言を再確認した。これを受けて一三日午前、東京市場でドル売り一色となり、一時一ドル＝一五五円六五銭まで上昇、二カ月半ぶりに高値を更新した。

「妥当な水準」　⑨一月一六日、ベンツェン民主党上院財政委員長がCNNテレビにおいて、「円高・ドル安はもっと進めねばならず、一一〇ないし一一五円までいくと思う」と発言。また一九日発売の『ニューズウィーク』誌一月二六日号の記事――「ニューズウィーク誌が入手した情報によれば、アメリカ財務省は、ドルの為替レートについて、現状では一ドル＝一四〇円、一ドル＝一・七〇マルクが〝妥当な〟水準と考えているようだ」――など アメリカ側のドル安容認発言によって、一月一九日午前の東京外為市場で円相場が急騰し、一時一ドル＝一四九円九八銭と一五〇円のレベルを突破した。

⑩一月二二日(宮沢・ベーカー会談の翌日)、ベーカー長官は、アメリカ下院委員会の証言の中で、「輸出依存度の高い国では自国通貨が余りに急速に切り上がると、ある場合は需要の積み増しが難しくなるということをわれわれは認識している」と述べ、また二五日NBCテレビでのインタビューの中で「これ以上の急激なドル安はアメリカ経済を脅かす」と述べ、間接的な表現ながら協調介入への姿勢をにおわせた。更にニューヨーク連銀が約五〇〇〇万ドルのドル買い・円売り介入を実施したため、二九日から一転して円安・ドル高の方向へ動き、一時的に一ドル＝一五二円台の水準へ戻した。

⑪三月二二日、イギリスのテレビ・インタビューに答えて、ベーカー財務長官は、ルーブル合意後にもかかわらず「われわれ(パリG5の出席者)はドルの目標レートを特定していない。……アメリカ以外の国が通貨を高めに調整することも必要だ」と強調し、三月二三日、東京外為市場では、一ドル＝一五〇円七三銭、二四日、一ドル＝一四八円八〇銭と連日円高・ドル安

をつづけ、変動相場制移行後の最高値(二月一九日、一ドル＝一四九円九八銭)を更新した。

⑫四月九日、ワシントン国際通貨基金(ＩＭＦ)暫定委員会において、ベーカー財務長官は、「これまでの(ドル高からドル安への)為替相場の移動は、一般的には秩序あるものであり、大きな貿易不均衡を耐えられる水準まで減少させるのに役立ってきた」と演説した。これはドル下落容認発言であり、そのため同日ニューヨーク外国為替市場の終値は、一ドル＝一四三円九〇銭―一四四円と円の高値を更新し、翌一〇日、東京外為市場の終値は、一挙に一ドル＝一四二円五〇銭まではね上がった。もちろんいずれの市場でも、日銀は逆介入を行なっていた。

⑬四月一五日夜、ニューヨークで開催されたジャパン・ソサエティ主催の夕食会の講演において、ベーカー財務長官は「主要通貨に対しての、これ以上の(ドルの)下落は、各国のいっそうの経済成長という目的を阻むものになりかねない」と語り、ドル安警戒の姿勢を示した。その影響で、一六日の東京外為市場の円相場終値は、一円四五銭円安・ドル高の一ドル＝一四三円二〇銭に続落した。

⑭五月一日、ワシントンの日米首脳会談で、「ドル下落は、両国経済の成長や不均衡の是正に逆効果となるため、為替レート安定で緊密に協力する」という点でレーガン大統領と中曾根首相両者の見解が合致したにもかかわらず、ニューヨーク市場では、前日比一円五銭円高・ド

ル安の一三九円台に突入した。二日付『ニューヨーク・タイムズ』は、「首脳会談は両国の貿易インバランス是正にはほとんど役立たなかった」とコメントをくだした。

大統領の発言

⑮五月二六日、レーガン大統領はホワイトハウスで記者会見し、「アメリカはこれ以上の急激なドル安を求めていない。必要とされていた通貨の再調整は行なわれたと思う」と語った。大統領みずからによるこの種の発言は初めてである。翌二七日の東京外為市場は、ドル高・円安に動き、終値は一ドル＝一四三円一五銭となった。

⑯六月二日、一九八七年八月七日に任期切れとなるボルカーFRB議長の後任にアラン・グリーンスパンCEA(アメリカ大統領諮問委員会)委員長が指名された。そのためニューヨーク外為市場は、ニューヨーク連銀のドル買い介入にもかかわらず、対前日比四円二〇銭も円高・ドル安を示す一ドル＝一四〇円八〇―九〇銭で引けた。三日の東京市場も対前日比三円円高・ドル安の一ドル＝一四二円四〇銭を示した。ドルの番人ボルカーへの信認度を示すものであろう。

⑰八月三一日、ロイター通信とのインタビューで、ヤイター・アメリカ通商代表部(USTR)代表は、「アメリカの貿易収支は昨年一五二六億ドルの赤字と史上最悪となったが、アメリカ政府当局者はこれまでのドル相場の下落により、今年は赤字幅が二〇〇―三〇〇億ドル縮小しようと予想していた。しかし六月の貿易赤字は、一五七億ドルと史上二番目の水準となり、

（今年の貿易赤字を前年比で）二〇〇―三〇〇億ドル圧縮することは困難だろう」と語り、政府見通しを修正した。これを受けて九月一日のニューヨーク市場では、円が反発、一時前日比一円一〇銭高の一ドル＝一四一円三五―四五銭をつけた。またそれを受けた二日の東京外為市場の円相場は、更にドル売りが加速され、五月二五日以来三ヵ月余ぶりに一ドル＝一四〇円台の円高を復活した。

⑱九月三〇日、ベーカー財務長官は、ＩＭＦ・世界銀行総会の演説の中で、「為替レートおよび物価の双方を安定させるため、先進国の政策協調手段として金を含む商品バスケット（金や石油を含む国際商品価格指標）をサーベイランスの指標に加える」考えを明らかにした。この提案をアメリカ政府のインフレ抑制姿勢の強さと見てとった一〇月一日午前の東京外為市場の円相場は、急落、一時、八月一八日以来ほぼ一ヵ月半ぶりの安値、一ドル＝一四七円六〇銭をつけた。

⑲一〇月一五日、ベーカー財務長官は、レーガン大統領に最近の経済情勢を報告したあと、ホワイトハウスの記者会見において、「西ドイツなど海外の金利上昇は、ことし二月のパリ・ルーブルＧ７合意が機能していないことを意味している」と指摘し、西ドイツの金融政策に修正を求めている旨の発言を行なった。

それに対して一五日、ペール西ドイツ連銀総裁は、「西ドイツが通貨供給量を(適正に)コントロールしていけば、世界的な金利上昇は免れえないであろう」と反論し、今後西ドイツは金利水準の上昇に向かう可能性を示唆した。この発言のくいちがいが、「暗黒の月曜日」への一つの引き金になったことは、第I部で明らかにした通りである。

以上によって、プラザ合意から「暗黒の月曜日」に至るまでの、ベーカー財務長官とレーガン大統領を中心とするアメリカ政府当局の口先介入がいかに頻繁に行なわれたかが明らかとなろう。

衆参同日選挙への配慮

次に、政治的配慮について見ておこう。

この二年一カ月の間に、日本において衆参同日選挙があり、アメリカにおいて中間選挙が行なわれた。図II-3「円レートの動き(東京外国為替市場)」(四九ページ)を見ると、その間、為替レートの動きの中に明らかな政治的配慮を読みとることができる。

①一九八六年四月二三日、全米商工会議所国際フォーラムにおけるレーガン大統領の演説を受けて、二四日、東京外為市場は一ドル=一六六円六五銭となり、日銀は数億ドル規模の円売り・ドル買い介入に出た。中曾根首相は「一ドル=一六〇円台では参院選に影響がでるのではないか」という記者団からの質問に答えて、「ショックが大きい。急激すぎて対応のいとまが

ない」と懸念を隠さなかった。

②五月六日、その日閉幕した東京サミットに対して、自民党内部においても、サミット会期中に円相場が高値を更新するような状況では「衆院解散—衆参同日選挙どころではない」という厳しい評価が加えられた。

③五月一三日、ベーカー財務長官は、アメリカ議会において、はじめて「最近のドル安は以前のドルの円相場に対する切上げ分を十分に埋め合わせた」と円急騰（五月一二日、一ドル＝一六〇円二〇銭）に歯止めをかけるような逆方向への発言を行なった。この突然の発言は、円高容認の立場への転換を意味するものでなく、ドル急落がアメリカの金利に与える悪影響（金利上昇、株価低落）を懸念したものにちがいなかった。ドル低落が加速するとアメリカ金融市場への日本からの資金流入にブレーキがかかり、ニューヨーク市場の金利が反発することを恐れてのことである。しかし、同時に円急騰によって中曾根政権が蒙る政治的困難に対して、とくに衆参同日選挙を見送らざるを得なくなるような政局の緊迫化に対して政治的助け舟を出したものであることも否定できないだろう。おそらく五月八日以後、中曾根首相からレーガンにあてて強力な依頼が伝えられたものと推測される。

④五月二八日、ニューヨーク市場では、「ニューヨーク連銀が直接ドル買い介入を行なった」

というわさが広まり、一ドル＝一六八円七五—八五銭で始まった円相場は一気に一六九円台にまで反落した。ニューヨーク連銀は、G5以来一度もドル買いの直接介入をしたことがない。それだけに外為ディーラーが急遽ドル買戻しに動いたという。「七月六日の同日選挙を控えた中曾根首相を支援するための〝友情介入〟だ」といったうがった解説まであらわれた。

⑤五月二九日、レーガン大統領は、ワシントンで開催された全米製造業者協会の会合で演説し、「昨年以来、日本円と西ドイツ・マルクはドルに対して五〇％以上も上昇してきた。中でも円は最近、ドルに対して第二次世界大戦以来の最高値を記録した」とのべ、すでに「ドル相場は他の通貨に比べて競争的である」と中曾根首相擁護の発言を行なった。またベーカー財務長官も五月二八日の記者団との朝食会の席上、「ドルは過去二、三週間、妥当な水準に安定している」と円・ドル相場の動きを評価した。これらの発言をうけてニューヨーク市場では、円相場が一ドル＝一七二円台に低下し、三〇日の東京外為市場午前の円相場は、対前日比二円六五銭安の一ドル＝一七二円三五銭をつけた。その後、円相場はさらに低下し、六月二日衆院解散の日には、実に一ドル＝一七六円三〇銭まで低下した。ヤイター通商代表は六月二日、ボストンの国際金融会議（IMC）において、「日本の同日選挙が終われば、再び円高・ドル安に転ずるだろう」と発言している。

⑥七月七日、ニューヨーク外為市場では、同日選挙を待ちかねたように、さらに自民党圧勝を受けて激しいドル売り・円買いのあと、終値は史上最高の円相場、一ドル＝一五九円八五—九五銭と前日終値に比し二円三五銭の円高・ドル安で引けた。ヤイター代表の予想通りであった。

以上は、日本の衆参同日選挙に対するアメリカ側の政治的配慮である。

次に、アメリカ中間選挙に対する政治的配慮を指摘しておこう。

米国中間選挙への配慮

①一九八六年七月一〇日、FRBは緊急理事会を開催し、現行の六・五％の公定歩合を〇・五％引き下げ六％とすることを全会一致で決定、一一日より実施すると発表した。一〇日付の『ワシントン・ポスト』によると、「中間選挙が近づくのに、夏には始まると思われていた景気加速の兆候があらわれないので、業を煮やしたホワイトハウスがFRBに圧力をかけた結果、ドル安よりも景気加速の途を選んだものである」と指摘している。

②八月二一日、FRBは七月一一日につづき一九八六年四回目の公定歩合引下げに踏みきり、〇・五％低い五・五％とした(図Ⅲ-16を見よ)。ボルカーFRB議長は一貫してドル急落に懸念を表明してきたが、八六年秋に中間選挙を控えて、ついにドル安放置に姿勢を変えたといわれ、「ボルカー議長はドル価値の安定より景気の安定を優先せざるを得ず、ドル下落をも阻止しよ

うとせず」(ディクソン)、いわゆるビナイン・ネグレクト(円高ドル安放任)の姿勢に傾斜しつつあるという見方がアメリカ金融界に広がった。

③九月五日、サンフランシスコで開催された日米蔵相秘密会談(出席者はベーカー長官、宮沢蔵相のほか行天《ぎようてん》大蔵財務官、マルフォード財務次官補の四人)において、ベーカー長官は「日本の内需拡大、とりわけ公定歩合の引下げ」を強く要請した。宮沢蔵相はむしろ「為替の安定」の重要性を訴えたが、ベーカー長官は、「このあいだの日本の総選挙の時は、こちらから助けたではないか。いまは、われわれが中間選挙を控えている。だから今度は日本が支援してほしい」と長官は蔵相の目をじっと見つめながら、単刀直入に斬り込んだといわれている(船橋洋一著『日米経済摩擦』Ⅲ-3による)。

④一〇月三一日、日米蔵相共同声明において日本の公定歩合の引下げ(一一月一日、第四回目の〇・五%引下げ。年三・五%を三%とした)を交換条件として「円とドルとの為替相場の調整は、今や基礎的諸条件とおおむね合致するものである」と外為相場の安定をうたい、円・ドル為替レート調整に一応の〝終止符〟を打つ両国の合意を示した。この「異例の日米蔵相共同声明」は、ベーカー財務長官が中間選挙向けにきった〝日本カード〟による日米政治協調にほかならない。

⑤日本の公定歩合引下げ協力にもかかわらず、八六年一一月四日(火)の中間選挙は共和党の敗北に終わり、焦点の上院では六年に及んだ共和党多数支配を民主党に譲りわたした。

以上に見たように、ドルと円の為替レートは、決して市場において自由に決定されたといえず、政治的にいろいろと配慮され、またいろいろの口先介入によって方向づけられてきた。

(6)　日本の非公式な〝道義的説得〟

サムエルソンの想像

日本政府の口先介入について、サムエルソン教授は、日本においては〝非公式の資本流出規制〟ないし〝道義的説得〟が市場介入に対する強力な援軍の働きを果たしたのではないかと想像している。とくに巨額な貿易黒字によって日本の企業や投資家たちが手に入れた資金をドル資金に転換させることを阻止するために日本通貨当局によって試みられた〝非公式規制〟ないし〝道義的説得〟が案外有効な戦術であったのではないかというのである。たとえば「われわれは円を一ドル＝二〇〇円まで値上がりさせるつもりだ。われわれは、その実現に努力することを誓う。われわれはあなた方に警告する。もしあなた方が資金をドル資産に換え続けるなら、しまいには指をやけどすることになるだろう」といった具合である(『日経』一九八五年一二月九日)。

たしかに日本銀行は、G5以降毎朝、東京外為市場が開かれる直前、各銀行のディーリング・ルームに向かって〝定期コール〟をつづけており、「ドル売り注文がなければ、日銀が売りますよ」と〝非公式規制〟をつづけてきたことはよく知られているが、それによって、ドル債投資が大きく減少したわけではない。G5の直後、一度だけ減少を示したことがあるが、それもつかの間、その後、外債投資の勢いは決して衰えを見せなかった。ただ〝非公式規制〟を十分知った上でドル債投資をする場合には、先物のカバーをとる(ドル建て債を買うと同時に先物で売っておく)ようになっただけである。

具体的なケースについてみておこう。

87・3・27　ⓐ一九八七年三月二七日のケース

三月二七日、欧米市場において円相場は変動相場制移行後の最高値を大幅に更新し、一四七円台に突入した。それに先立って開催された二七日の東京市場では、日銀が過去最大規模である二〇億ドルの円売り・ドル買い介入を実施したため、円は前日比わずか四〇銭円高・ドル安の一四九円の円高のままで引けた。その日、東京市場におけるドル売りの勢いは激しく実に六〇億一八〇〇万ドルに及びそのほとんどが日本の投資信託などの機関投資家や証券会社、外国為替銀行による一斉ドル売りであった。この日のドル売りに対しては多分、大蔵省の抑止要請、道義的説得があったのであろう。たしかに、生命保険各社には目立った動きが見られなかったが、日銀の大幅介入にもかかわらず一ドル＝一五〇円割れの高水準のまま動かなかったため、こらえきれずに東京市場でない欧州市場において一斉売りに出たため、二七日、欧米市場で円相場が急騰したものと考えられる。

生命保険各社がドル売りに出た背景としては、迫りくる三月末の決算期を前にして、アメリカ国債の評価損を可能な限り食い止めようという思惑があった（一四八ページ表III-16を参照）。前年八六年三月期決算では八五年のプラザ合意以降の急激な円高によって発生した評価損が主要各社で約五〇〇〇億円に達したが、八六年一〇月三一日の宮沢・ベーカー会談前後に円高も頭打ちになり、一ドル＝一五〇円台から一六〇円台に向かった頃から再びアメリカ国債向けに投資を活発化させてきた。その結果、八六年末の資金運用状況によると、アメリカ国債を含む外国債券（ほとんどがドル建て）が総資産の一割を初めて超過し、その増加率は、八五年の二・五倍という激しさであった。

生命保険をはじめとする日本の機関投資家は、年四回（二月、五月、八月、一一月）のアメリカ国債の入札に当たってはその三〇―六〇％という大きな割合で応じてきた。それだけアメリカの赤字財政を支えてきたわけで、生命保険、信託銀行、証券会社および都市銀行も参加した日本の主要金融機関による八七年三月のドルの一斉売りは、ドル離れの最初の兆しにほかならず、注目に値する動きであった。

週明けの三月三〇日(月)の東京外為市場は、前週末の海外市場の円高を受けて円が急騰、終値は一四六円二〇銭にまではねあがった。午前九時半すぎ、一時、円相場は一ドル＝一四四円七〇銭まで値を上げ、瞬間最高値を更新した。二七日、日米半導体摩擦問題でアメリカ政府が報復措置を決定したことが、市場のドル不安に火をつける形となり、外為銀行、商社だけでなく輸出企業や生命保険、投資信託などの一斉ドル売りをよび起こし、さらに通産省のドル売り自粛指導で先物のドル売り(輸出予約)を手控えていた電機メーカーなどの輸出企業までが積極的に先物ドル売りに踏み出したことが、円高にいっそう拍車をかけた。

日銀は午前中だけでも二〇億ドル規模のドル買い介入に出たが、日銀の介入のみでは円高・ドル安はくいとめられず、通貨安定のための新たな国際協調路線、とりわけアメリカ側の協調路線が打ち出されない限り、ドル安不安心理は払拭されないことが明らかとなった。

三〇日の政府・自民党首脳会議において、宮沢蔵相は次の如く不満を洩らした。「市場経済だから機関投資家や商社が(ドルを)売るのは自由だが、(やりすぎれば、ドル資産を持っていたり、輸出をしている）自分の首を自分でしめることになる。（ドル安が）長く続けば、パリ（のG7）に集まった先進各国がみんな困るということになりかねない。規制という言葉はあえて使わないが、何か考えが必要な場合も……」と。そして首脳会議出席者たちの口からは機関投資家に対する不満が、「捕えてみればわが子なりとはねえ」とか「これも新人類相場だよ」などと話し合われたという（『朝日』三月三一日による）。政府は介入と道義的説得のみによって十分為替レートが安定すると考えていたようだが、機関投資家はその姿勢を信頼しておらず、為替差損を回避するための自衛行為までも抑止することはできなかったのである。そのことは、デレギュレーションにふみ切った以上、政府も覚悟の上であったはずである。

5・5―7　ⓑ五月五―七日、アメリカ国債入札のケース

一九八七年五月五日、アメリカ国債三年物（総額約一〇〇億ドル）の入札が実施されたが、日銀は、これと別枠で七億ドルを購入した。三月下旬以降、大量のドル買い・円売り介入によって急増した外貨準備高は、日銀が経理面を委託されている外為特別会計のドル資金をふくらませた。そのほとんどは流動性の高い三―六カ月物のアメリカ財務省証券などで短期運用してきたが、今回は異例のことにアメリカ中期国債の購入にふみ切ったのである（一五五ページを参照）。円高・ドル安を前提とする限り、評価損を覚悟の上で、おそらくアメリカ国債市況のテコ入れをねらったものであろう。

六日に実施された一〇年物長期アメリカ国債の入札には、日本の機関投資家の参加はきわめて低調で、証券会社のディーラー部門中心の落札にとどまった。金額は、落札総額九七億六六〇〇万ドル中一五億ドル程度であった。

しかし七日の三〇年物長期国債の日本の落札は、落札総額(九二億七五〇〇万ドル)のうち、証券会社を中心として、四〇%を超える四〇億ドル強もの予想を超える大規模なものとなった。

日米金利差は六%近く(三〇年物アメリカ国債の利回り八・七五%前後に比し、日本の第八九回国債の利回りは過去最低の二・八一%にすぎなかった)に達していたにもかかわらず、ドル安懸念からためらっていた日本の機関投資家の応札への変身の裏には、「ヒヤリング」(三〇年物入札直前の日本時間八日の深夜にかけて、大蔵省から機関投資家の投資担当者のもとへ「おたくはどれくらい買いますか」と電話で問い合わせが行なわれたことを指す)と称する大蔵省の〝行政指導〟が働いていた。明らかに、アメリカの意向を配慮した政治的落札誘導であった。

しかし「大手証券によると、日本勢の落札額のうち、生命保険、信託銀行など機関投資家の注文は、三、四割にとどまっており、過半数は証券会社の自己勘定分であった。これらは長期債相場の動きを見て、早めに米国流通市場で売却される可能性が高い性質のものであった。さらに自己勘定分のほかに機関投資家の注文分を含めて、手持ち米国債を事前に売却したり、予めカラ売りをしておいて、入札分で相殺するなどの対策がとられたものがかなりあったという」（『朝日』五月九日）。したがって、ジャパン・マネーのアメリカへの還流が本格化した、とはとてもいいがたかった。

五月一三日、イングランド銀行ははじめてポンド建て五年物国債の公開入札を実施したが、落札総額一〇億ポンドのうち日本機関投資家の落札数は二―二・五億ポンドに及んだ。これも一種のドル離れ現象といえよう。

そこで五月一三日午前、大蔵省国際金融局長、証券局長、銀行局長および保険局長らが、大手証券会社、都市銀行、生命保険会社などの首脳に対して、投機的為替売買を慎しみ為替相場安定に協力するよう要請し、大蔵省に対して為替関連取引状況の毎日の報告を義務づけた。大蔵省のねらいは五月はじめ応札したアメリカ長期国債を短期間で手放すことを抑制し、〝管理入札〟に対して抜け穴を封じようとする点にあった。通産省も同日、輸出業者、商社に対して同様の要請を行なった。このような大蔵省、通産省の要請は「市場メカニズムを無視した小手先だけの為替安定策」であって、機関投資家たちは、自己の為替差損を避けるためのドル売りは致し方ないものと冷ややかに受けとめていた。しかし、一三日の東京市場の円相場はやや弱含みで、一四〇円台を回復した。

8・21 ⓒ八月二一日のケース

一九八七年八月二一日、東京市場においては円高がさらに進んで、一時、一ドル＝一四二円六〇銭と、六月一二日以来、二カ月ぶりに一四二円台をとり戻した。この日、はじめは前日の欧米市場を受けて一ドル＝一四四円七五銭で取引がはじまったが、宮沢蔵相のドル安誘導発言によって、一気にドル売り・円買いが加速したため、午前一一時前、一四二円台をつけた。午後、日銀は数億ドル規模のドル買い・円売り介入を実施したため、終値は前日終値に比し七五銭円高・ドル安の一ドル＝一四三円ちょうどで引けた。

宮沢蔵相の発言は、二一日閣議後の記者会見におけるもので、円相場が急騰したことについて、「たいしたことではない。いっときのアヤぐらいにしか思っていない。乱高下《らんこうげ》した時には日銀がチェックすればよい」。「そういう(協調介入)問題に至っていない。へたに(市場に)お相手すると、(投機筋が)それじゃあ、といってくることになりかねない。勝手にしなさいという態度が必要なときもある」というものであった。また同日、衆院大蔵委員会でも宮沢蔵相は、「投機と投資がどう違うか、(為替ディーラーが)自分の胸に手を当ててみればわかるはずだ」と述べ、短時間で売買するディーリングをけん制したうえで、「先に実施した投機自粛要請は、これからも続けていくべきだと思う」と強調した。これは、市場が円高・ドル安を更新する度ごとに実施してきたドル買い介入の予告は当然、投機家の手にかかると短時間で売買をくりかえすディーリングによって巧みに売買益を発生させる温床にも変ずることに気づいた発言とみてよいだろう。一九日と二一日の二回にわたる蔵相発言が、結果的に日本側のはじめてのトーク・ダウン(ドル安誘導発言)になった理由も、そこにあるものと考えられる。

以上、G5プラザ合意成立以降、「暗黒の月曜日」まで二年一カ月間のドルと円の軌跡を辿ってきた。その中でとりわけ顕著な動きは、日米両政府相互の政治的配慮や日本国内向けの非公式な〝道義的説得〟などに彩られながら、一貫して円高・ドル安を目指してきたベーカー財務長官の口先介入であろう。またプラザ合意の目標とするG5の協調介入は、それ自身、国際的には為替の安定化を目指す措置であったとはいえ、各国中央銀行にとっては、マネーサプライの増減に直接的に影響を与える重要な金融的措置そのものでもあった。とくに巨額なドル買い介入は、世界的規模のマネーサプライの激増をもたらし、マネー・ゲームを蔓延させ、株式投機、土地投機を横行させ、いわゆる〝カジノ資本主義〟を促進させた。

以下の分析においては、このようなアクチュアルな認識の上に立って、いわば帰納論的アプローチを基礎にしながら、ドル安・円高の立体的構造に迫りたいと考える。

Ⅲ ドル安・円高の構造

1　日米資金構造の分析

石油ショック以降、とりわけ巨額になった国際間の資金の流れの中でドルと円の動きを分析する場合、分析の視角を次の三つのレベルに区別してアプローチすることが必要であろう。

(1)ストック分析。対外資産・負債残高の変化を解明し、アメリカの債務国化と日本の債権国化の過程にメスを加える。

(2)フロー分析。アメリカと日本の部門別資金過不足を分析して、レーガノミックスと臨調路線の相互依存関係を究明する。

(3)為替レートの要因分析。日々外為市場において変動をくりかえす為替レートの中をトレンドとして貫いている急激なドル安・円高現象を解明する。

以下、これら三つの異なったレベルの視角から立体的な分析を行なって、日米資金構造の最近の特徴を描き出してみたい。

(1) アメリカの純債務国化

最大の債務国
最大の債権国

E・F・ヴォーゲル(Ezra F. Vogel)は、一九八六年春季号の『フォーリン・アフェアーズ』の中で、「パックス・ニッポニカ?」("Pax Nipponica?")というタイトルの論文を発表している。ヴォーゲルというのは、『ジャパン・アズ・ナンバー・ワン』(*Japan As Number One, Lessons for America*, 1979)の著者として有名なハーバード大学教授である。

この論文は、「後世の歴史家は、一九八〇年代の半ばを、日本がアメリカを追い越して、世界第一級の経済大国に突出した時期として記録することになるかもしれない。……一九八六年までに、アメリカは世界最大の債務国となり、日本は世界最大の債権国になる」という文章ではじまっている。事実、アメリカ商務省発表のアメリカ対外純債務額(一九八六年末現在)は、二六三六億ドルに達し、三大累積債務国(ブラジル・メキシコ・アルゼンチン)の純債務額合計二六二二億ドルよりも大きい。また大蔵省発表の日本の対外純債権額(一九八六年末現在)は、実に一八〇三億ドルである。さらに、一九八七年末現在のアメリカ対外純債務額は、三六八二億ドルに、そして日本の対外純債権額は二四〇七億ドルにも達している。
なおアメリカ議会上下両院経済委員会報告『年央経済——対外債務の遺産』(*The Economy At Midyear: A Legacy of Foreign Debt*, Aug. 5, 1987)によると、A・サイナイ(A. Sinai)は、一九九〇年までにアメリカの純債務は七七五〇億ドルになると予測し、ジョージア大学教授のD・ラタザック(D. Ratajczak)も、一九九三年までにアメリカの純債務額は一兆ドルに迫ると証言している(p. 18)。

対外純債権額(あるいは純債務額)の年々の増減額は、その年の資本収支の赤字(流出超過)額(あるいは黒字(流入超過)額)によって決定され、年々の資本収支の赤字(黒字)額は、その年の経常収支の黒字(赤字)額から誤差その他を修正して求められる。一般的には、経常収支の黒字額・赤字額が、対外純資産残高の増減に対応しているといってよい(経常収支と対外純資産残高の関係については、拙著『世界経済をどう見るか』一八一ページ以下を見よ)。

なおアメリカの対外資産・負債にかんする公表統計の信憑性については、周知の通り問題が残されている。ワシントン国際経済研究所(IIE)のS・イスラム(Shafiqul Islam)の周到な調査研究によると、アメリカの直接投資(アメリカの対外資産の二四%を占める)は、簿価で評価されているため過小評価されているが、アメリカにおける外国からの直接投資(アメリカの対外債務の一六%を占める)は、最近投資されたものが多いため誤差は少ない。

他方、アメリカの対外債務にかんする公式統計でも過小評価が見出される。アメリカの国際収支統計における「統計上の不突合せ」(statistical discrepancy)の一九七八年以降の急増は、アメリカに向けて大規模な捕捉不可能な資本流入があるからにほかならない。これらを修正した上で、イスラムは「すべての脱漏を考慮に織り込んでも、アメリカの対外純投資残高に関する公式統計が過大評価されているのか過小評価されているのか判然としない」と述べている(Shafiqul Islam, "America's Foreign Debt: Is the Debt Crisis Moving North?" *Stanford Journal of International Law*, Spring 1987)。

歴史的な構造変化

アメリカの経常収支が赤字を示しはじめたのは一九八二年以降のことであるし、日本の経常収支が黒字になりはじめたのも、一九八一—八二年頃からである。一次・二次の石油ショック直後は、周知のように日本の経常収支も赤字に転落したから、一九七四—七五年および一九七九—八〇年の対外純資産は減少を示した。したがって日本の純債権国化も、アメリカの純債務国化と同様、一九八三年以降のきわめて最近の変化といってよい(図Ⅲ-1を見よ)。

この図に明らかなように、一九八三年まではアメリカが世界最大の純債権国であり、日本の

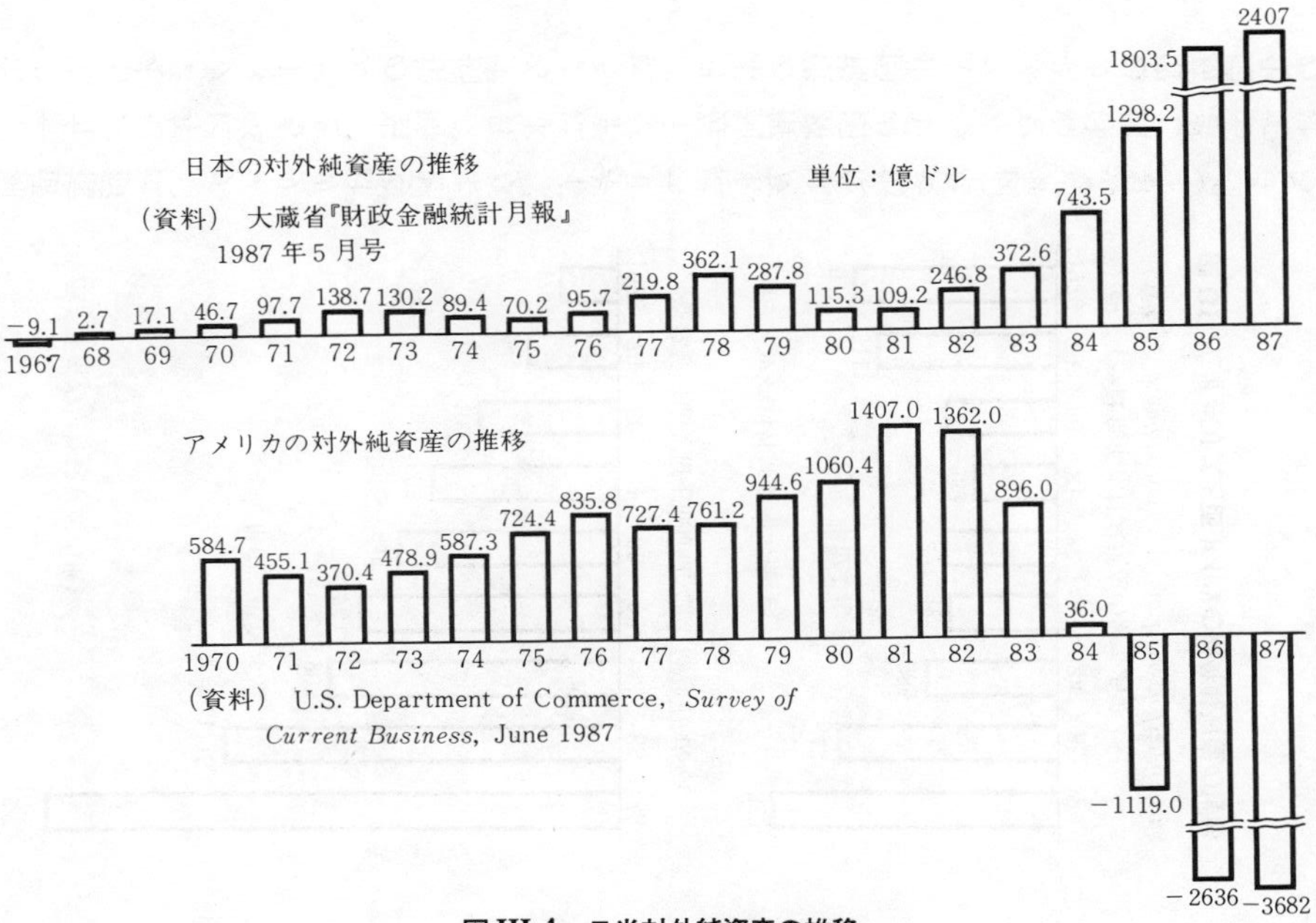
日本の対外純資産の推移
単位：億ドル
(資料)　大蔵省『財政金融統計月報』
1987 年 5 月号
−9.1
2.7
17.1
46.7
97.7
138.7
130.2
89.4
70.2
95.7
219.8
362.1
287.8
115.3
109.2
246.8
372.6
743.5
1298.2
1803.5
2407
1967
68
69
70
71
72
73
74
75
76
77
78
79
80
81
82
83
84
85
86
87
アメリカの対外純資産の推移
584.7
455.1
370.4
478.9
587.3
724.4
835.8
727.4
761.2
944.6
1060.4
1407.0
1362.0
896.0
36.0
−1119.0
−2636
−3682
1970
71
72
73
74
75
76
77
78
79
80
81
82
83
84
85
86
87
(資料)　U.S. Department of Commerce, *Survey of*
Current Business, June 1987

図 III-1　日米対外純資産の推移

対外純債権額は、アメリカはもとより、イギリスにも及ばなかった(図Ⅲ-2を見よ)。さらに遡って、一九六七年に至ると、当時、日本はまだ十分純債務国のレベルをぬけ出しきってはいなかったのである。ヴォーゲルの指摘するように、日本の債権国化とアメリカの債務国化の同時

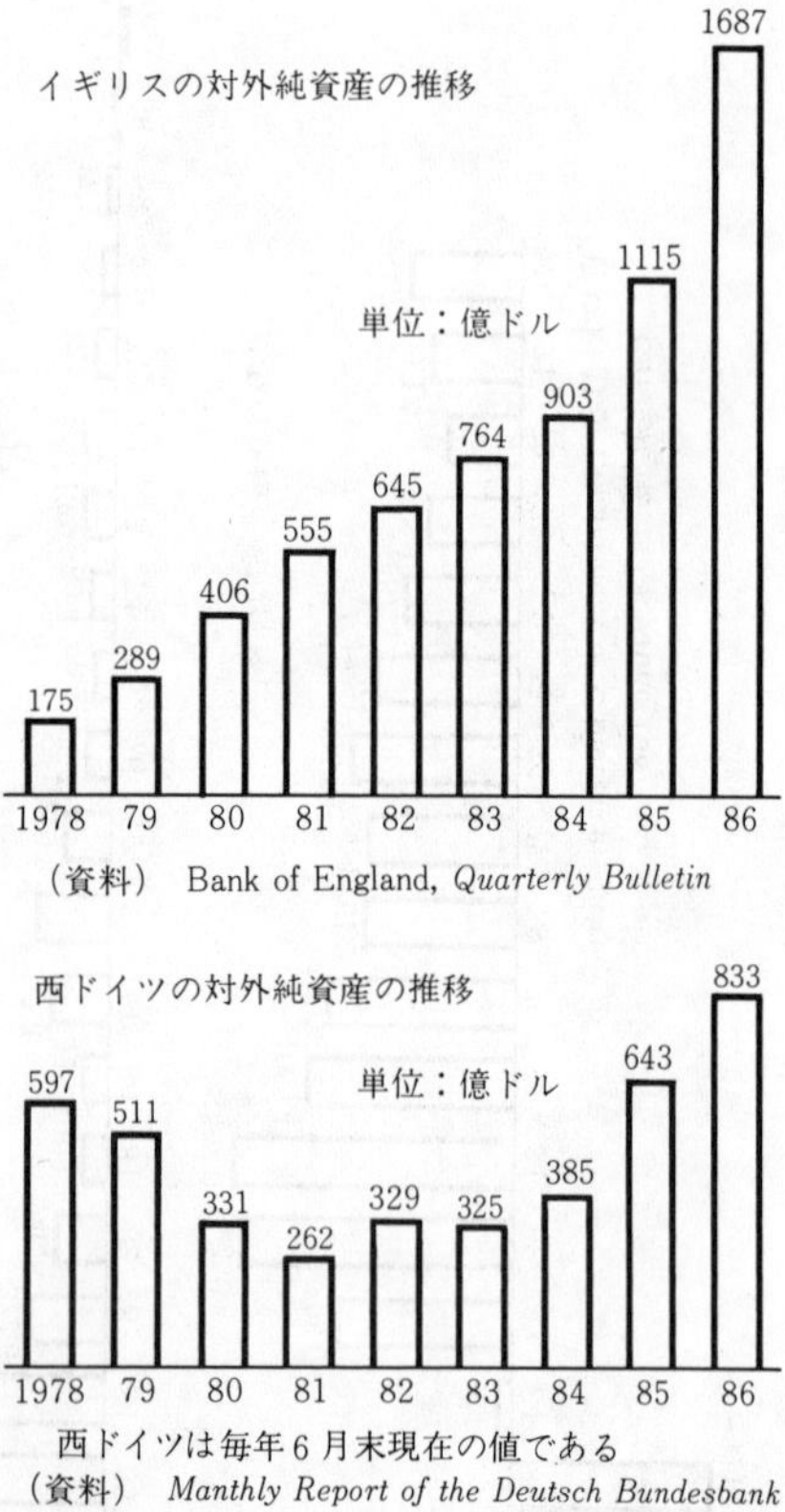

西ドイツは毎年6月末現在の値である
（資料） *Manthly Report of the Deutsch Bundesbank*

図 III-2 イギリスと西ドイツの対外純資産の推移

進行という激しいクロス現象は、まさに眼をみはるような歴史的な構造変化といってよいだろう。*

* なおヴォーゲルは、一九八六年日本が世界最大の債権国になると述べているが、図Ⅲ-2に見るように、イギリス八六年末の対外純債権額は一六八七億ドルに達しており、日本のそれ(一八〇三億ドル)と肩を並べている。名実共に日本が世界最大の純債権国になったのは一九八七年末のことである。

純資産増減の地域別寄与率

それではこのような歴史的なクロス現象は、いかなる過程を経て出現するに至ったのであろうか。図Ⅲ-3は、ストックの面(すなわち各年末現在の対外純資産・負債の地域別構成)から見て、アメリカが資本をどの地域からどれだけ調達し、どの地域へどれだけ投資してきたかを示している。図Ⅲ-3の負債側に示されている地域名と金額は前者(調達先と調達額)を示し、資産側に示されている地域名と金額は後者(出資先と出資額)を示している。そして資産側の金額(資本輸出累積残)が負債側の金額(資本輸入累積残)を超える場合には、アメリカの純資産残額(債権国アメリカ)を示し、反対に負債側が資産側を超える場合にはアメリカの純負債残額(債務国アメリカ)を示している。これを見ると、アメリカの対外資産・負債バランスの地域別変化(一九七〇―八六年)を明らかにすることがで

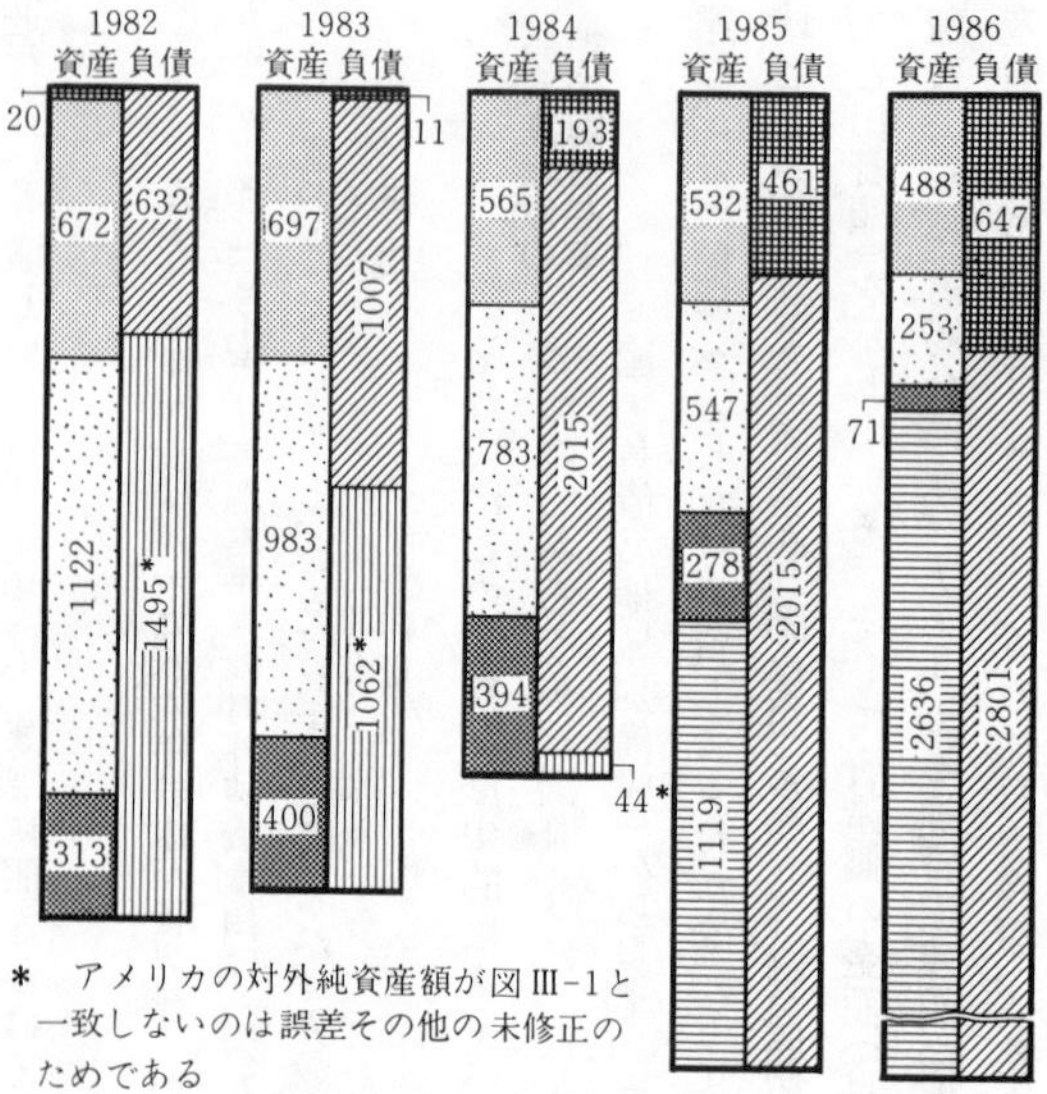

* アメリカの対外純資産額が図Ⅲ-1と一致しないのは誤差その他の未修正のためである

負債の地域別構成

きる。

第一に、アメリカを純債権国から純債務国へ激変させるように作用した要因は、日本からの資本輸入のみでなく、むしろ西ヨーロッパからの資本輸入の激増であり、さらにラテンアメリカに対する資本輸出累積残の激減である。そのことをさらに明確に示すのは、表Ⅲ-1「アメリカ対外純資産増減の地域別寄与率」である。この表によると、アメリカが債務国化に向かって大きく踏みだした一九八三年以降、八四年、八五年、八六年のいずれにおいても資本輸入寄与率*の高い地域は、①西ヨーロッ

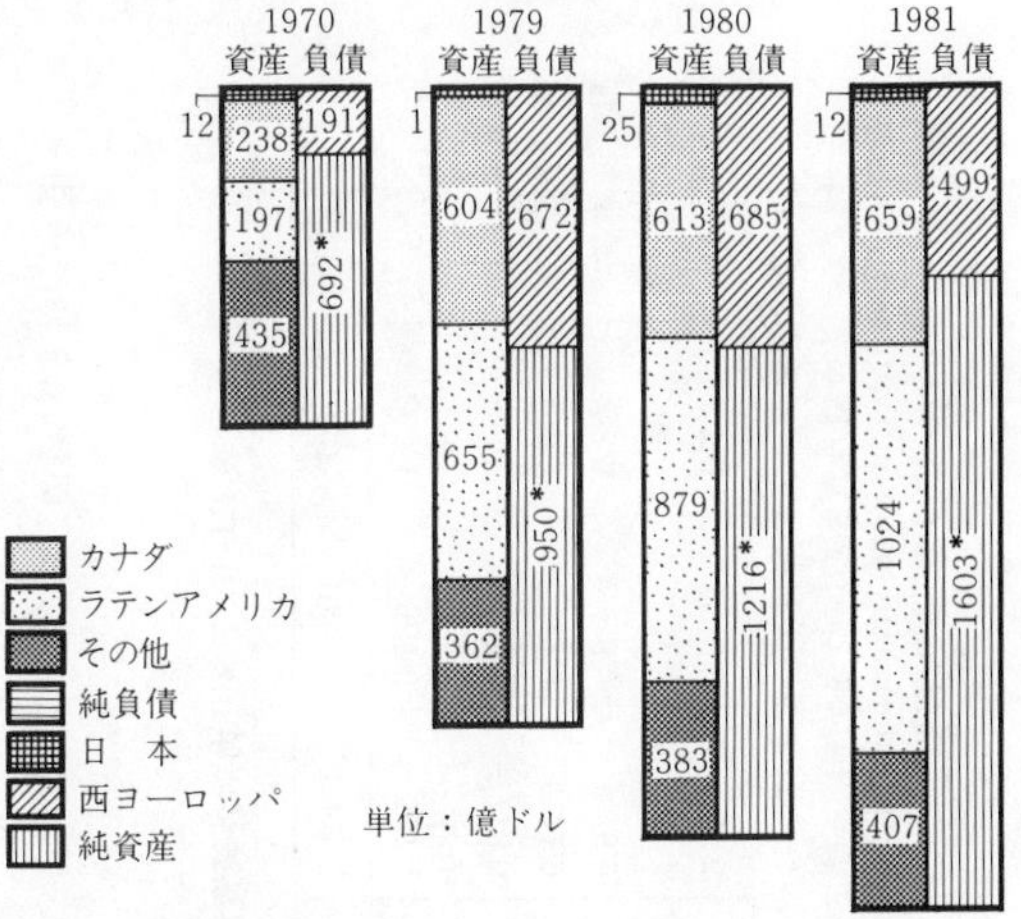

（資料）“The International Investment Position of the United States,” *Survey of Current Business*, 1970-86 より作成

図 III-3　アメリカ対外純資産・

パ、②ラテンアメリカ、③日本、の順序であることがわかる。

この事実は注目に値しよう。従来は、ヴォーゲルのようにアメリカの債務国化を日本の債権国化と対比し、その他の要因を無視しようとする傾向が有力だったからである。ヴォーゲルが、一九八六年末現在、イギリスが日本と並んで世界最大の債権国の一つであるという事実を見落としたのも、西ヨーロッパの寄与率の大きさを軽視しようとする一種の偏見といってよいかも知れない。

＊　寄与率というのは、アメリカ対外純資産の増加分(減少分)を一〇

○(マイナス一○○)として、それがどの地域(投資項目)への資本輸出残の増減によるものか、あるいはどの地域(投資項目)からの資本輸入残の増減によるものかを、地域(投資項目)別に構成比として示したものである。

表III-1　アメリカ対外純資産増減の地域別寄与率

単位：億ドル，％

	1980	1981	1982	1983	1984	1985	1986
アメリカ	265.4* (100)	387.0 (100)	−107.4 (−100)	−433.3 (−100)	−1018.3 (−100)	−1162.7 (−100)	−1516.8 (−100)
西ヨーロッパ	−4.7	48.0	−123.5	−86.6	−48.9	−43.9	−51.8
カナダ	3.3	11.9	11.9	5.6	−12.9	−2.9	−2.9
日本	8.9	−3.2	6.9	−7.1	−20.0	−23.0	−12.3
ラテンアメリカ	84.5	37.3	91.3	−31.9	−19.7	−20.3	−19.3
その他	8.0	6.0	−86.6	20.0	1.5	−9.9	−13.7

*　この数字はアメリカの対外純資産の増(＋)減(−)額を示す
　＋はアメリカ対外資産増加の寄与率，−はアメリカ対外負債増加の寄与率

(資料)　"The International Investment Position of the United States," *Survey of Current Business*, 1979–86 より作成

中南米・西欧・日本

第二に、アメリカの対外純資産・負債地域別構成(資産側)に占めるラテンアメリカの位置が大きく変動している点である。図III-3から計算できるように一九七〇年には二三・三%にすぎなかったのが、七九年四〇・三%、八〇年四六・二%、八一年四八・七%、八二年五二・八%、八三年四七・五%、八四年三四・八%、八五年二三・一%、そして八六年七・三%と、八二年までは増加し、それ以後は減少し、八六年にはわずか七・三%にすぎなくなっている。八二年までの増加は、アメリカから資本輸出されたラテンアメリカの累積債務の増大を反映している。それでは八三年以降の減少は、累積債務問題の解消を意味するものであろうか。これについては、後にもう少し詳細に分析してみることが必要であろう。

第三に、アメリカは一貫して西ヨーロッパから資本輸入をつづけているが、アメリカの対外負債の中で占める西ヨーロッパの割合は、アメリカの純資産が減少を示しはじめた一九八二年以降、急速に増大していることがわかる。

第四に、日本は一九八二年まではアメリカにとって資本輸出受入国であったが、八三年以降、アメリカは西ドイツと並んで日本からの資本輸入に依存するようになり、年と共にその割合を高めている(日本の対外資産負債の分析については、後節をみられたい)。

表III-2　アメリカの投資形態別対外貸借対照表

単位：億ドル

	1983年末	1984年末	1985年末	1986年末
対外資産	8739	8961	9494	10679
公的資産	1132	1198	1309	1379
(準備資産)	(337)	(349)	(432)	(485)
民間資産	7607	7763	8185	9299
直接投資	2072	2115	2297	2599
証券投資	838	891	1128	1311
非銀行部門	351	301	286	326
銀行部門	4345	4456	4473	5064
対外負債	7843	8926	10613	13315
公的負債	1945	1992	2025	2408
民間負債	5898	6933	8588	10907
直接投資	1371	1646	1846	2093
証券投資	1475	1855	2902	4055
非銀行部門	269	310	294	267
銀行部門	2783	3122	3545	4492
対外純資産	896	36	−1119	−2636
公的部門	−813	−794	−716	−1029
民間部門	1709	830	−403	−1608
直接投資	701	469	451	506
証券投資	−637	−964	−1774	−2744
非銀行部門	82	−9	−8	59
銀行部門	1562	1334	928	572

(資料)　U. S. Department of Commerce, *Survey of Current Business*, June 1987

投資形態の変化

表Ⅲ-2「アメリカの投資形態別対外貸借対照表」は、ストック面からみて、アメリカがどのような投資形態でどれだけ資本を調達し、どのような形態でどれだけ資本輸出してきたかを示している。各年次の対外資産・負債バランス表の負債側に示されている投資形態名と金額は前者を示し、資産側に示されている投資形態名と金額は後者を示している。そして資産側の金額が負債側の金額を超える場合には、アメリカの純資産残額(債権国アメリカ)を示し、反対に負債側が資産側を超える場合にはアメリカの純負債残額(債務国アメリカ)を示している。なお図Ⅲ-4「アメリカ対外純資産・純負債の投資形態別構成」は表Ⅲ-2のような投資形態別対外資産・負債(一九七〇—八六年)から投資形態別に純資産・純負債を計算して図示したものである。これによって、アメリカの対外純資産・純負債の投資形態別変化(一九七〇—八六年)が明らかとなる。

証券投資と銀行融資

第一に、一九八六年末現在のアメリカの純負債残二六三六億ドルと負債側の証券投資二七四四億ドルとは、ほぼ見合っている。しかしアメリカを純債権国から純債務国へ急速に変化させるべく作用した要因は、単に証券投資形態の資本輸入の激増のみではない。注目に値するのは、銀行融資形態をとったアメリカからの資本輸出の顕著な減少である。この点をいっそう明確に示しているのは、表Ⅲ-3「アメリカ対外純資産増減

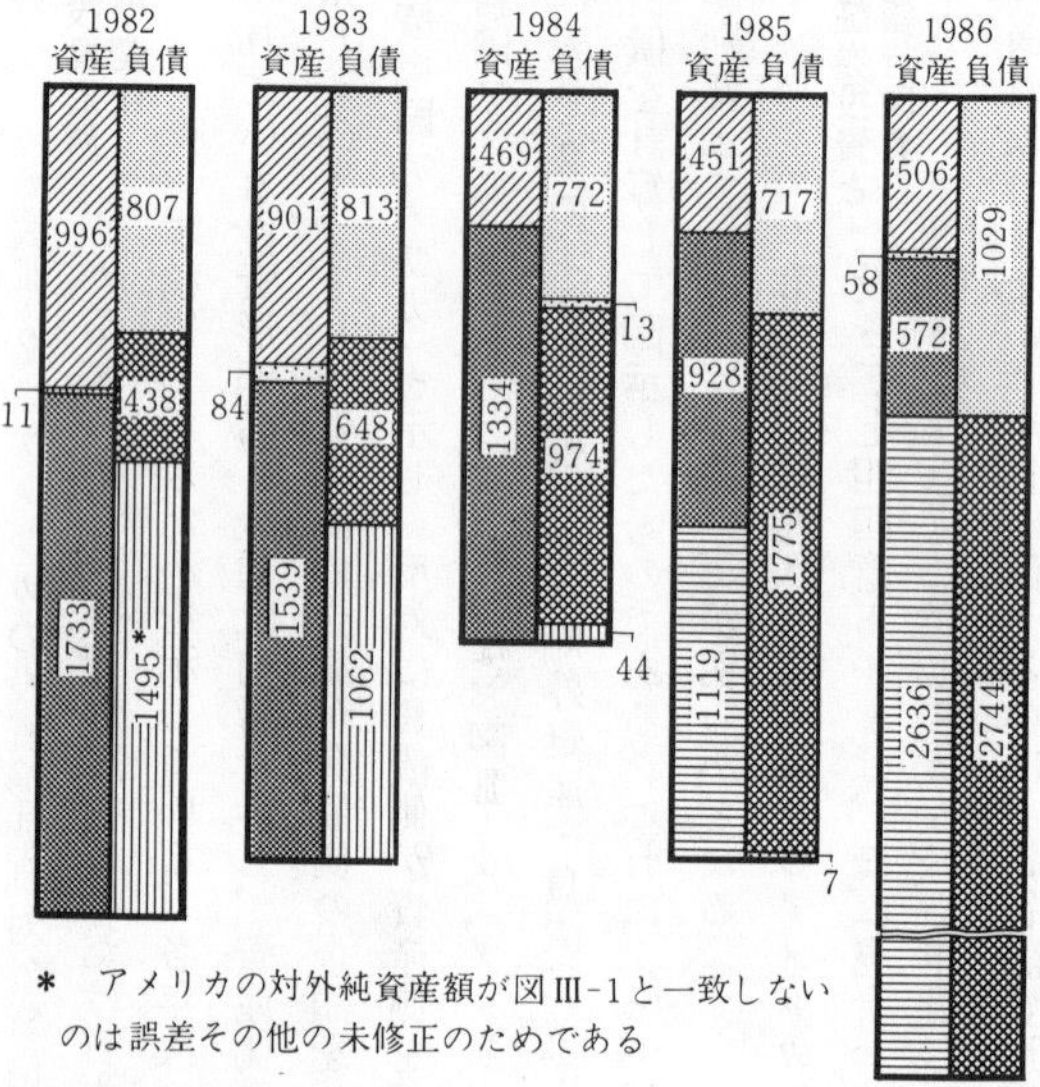

* アメリカの対外純資産額が図Ⅲ-1と一致しないのは誤差その他の未修正のためである

純負債の投資形態別構成

の投資形態別寄与率」である。この表によると、一九八三年以降、証券投資形態の資本輸入増と、銀行融資形態をとった資本輸出の減少が、いずれもアメリカの対外純資産残の減少に大きく寄与していることがわかる。

銀行融資と直接投資

第二に、「アメリカ対外純資産・純負債の投資形態別構成」(負債側)の中に占める証券投資形態の割合は、一九七九年以降一貫して増加傾向を示しているが、対外資産バランス表(資産側)の中の銀行融資形態の割合は激しく変動している。図Ⅲ

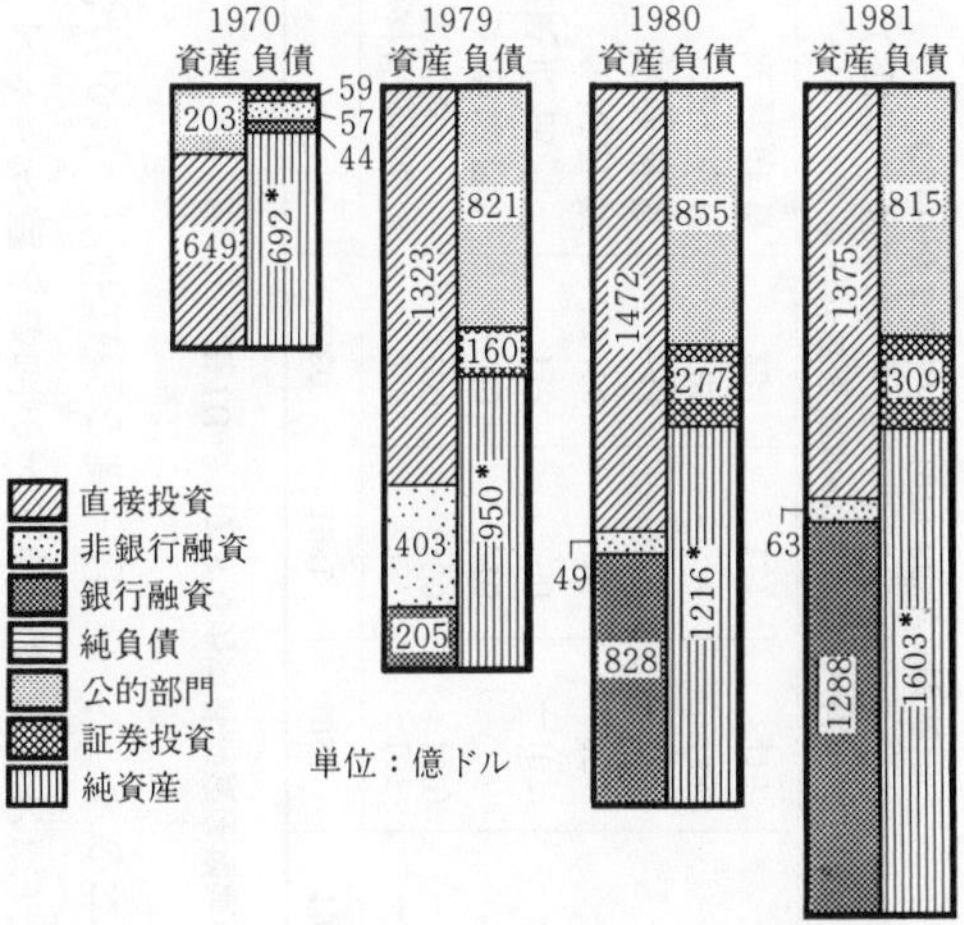

（資料）“The International Investment Position of the United States,” *Survey of Current Business*, 1970–86 より作成

図 III-4　アメリカ対外純資産・

-4を見てもわかるように、七九年から八二年までは増加傾向をたどってきたが、八三年からは一転して減少傾向を示しはじめ、一九八六年に至っている。しかし、負債側(銀行融資受取超過)に移動するに至らず、かろうじてアメリカからの資本輸出を示す資産側(銀行融資支払超過)にとどまっている。この動きも、表III-3によって明確にすることができる。銀行融資形態の寄与率は、八〇年、八一年、八二年まではプラスの大きな値を示したが、八三年以降は、マイナスに一変している。

この銀行融資形態の動きをよく見

ると、表Ⅲ-1のラテンアメリカの動きにほぼ照応しているのに気がつく。このことは、少なくとも八二年までは、アメリカの対外資産の増加がラテンアメリカ向け銀行融資の増大(ラテンアメリカ側から見ると累積債務の増大)を中心としていることを意味するものであろう。それならば八三年以降の減少は、アメリカの対外純資産・純負債構成でみる限り、累積債務問題

表 III-3　アメリカ対外純資産増減の投資形態別寄与率

単位：億ドル，％

	1980	1981	1982	1983	1984	1985	1986
対外純資産増減額	265 (100)	387 (100)	−107 (−100)	−433 (−100)	−1018 (−100)	−1163 (−100)	−1517 (−100)
公的部門	−13	10	7	−1	2	6	−21
民間部門	113	90	−107	−99	−102	−106	−79
直接投資	56	−25	−354	−23	−28	−1	4
証券投資	−44	−10	−120	−49	−39	−70	−64
非銀行融資	−133	4	−48	18	−11	1	4
銀行融資	234	121	415	−45	−24	−36	−23

＋はアメリカ対外資産増加の寄与率，－はアメリカの対外負債増加の寄与率を示す
(資料)　"The International Investment Position of the United States," *Survey of Current Business*, 1979-86 より作成

の解消を意味するかのように見えるが、はたしてそれは事実であろうか。それに対する答えは〝ノー〟であるが、それについての詳細は、次節にゆずりたい。

第三に、直接投資形態の割合は、一九八〇年に至るまでは一貫して増大傾向を示している。しかし、八一年以降は年々減少し、八四年以降はほぼ横ばいといってよいだろう。その点は、表Ⅲ-3の寄与率の動きからも明らかである。この動きは、直接投資形態の資本移動が西ヨーロッパに対しては一貫して、輸入超過をつづける中で、それを追いかけるように日本に対しても一九八一年以降、輸入超過に転じたことが響いているようである。

第四に、とくに重要な動きは、アメリカの対外純資産・純負債構成は、一九七〇年までは、その主要部分は公的部門と直接投資で占められ、証券投資形態、銀行・非銀行融資形態の割合は微々たるものであったが、八六年現在でみると、反対にその主要部分が、証券投資形態と銀行・非銀行融資形態によって占められている点である。この変化は、一九八一年以降とりわけ著しく、冒頭に述べた国際間資金の流れの最近における激増にもとづく金融資産形態の増加傾向、すなわち世界経済を動かす力のモノからカネへの移行をストックの面においても歴然と証明するものであろう。

(2) ラテンアメリカの累積債務問題とアメリカ

累積債権と債務国化

最初に、問題点を明らかにしておこう。ラテンアメリカの累積債務の大半は、明らかにアメリカの累積債権(対外資産)である。それではこのような累積債権を保有したまま、どのようにしてアメリカの債務国化が実現したのであろうか。このナゾを解かねばならない。前節の問題提起の仕方で具体的にいうと、一九八三年以降、アメリカの対外純資産・純負債地域別構成においてラテンアメリカのシェアが減少し、また、それに照応するように、対外純資産・純負債投資形態別構成において銀行融資形態が減少しているが、それらははたしてアメリカにとっての累積債務問題の解消を意味するものであろうか、という設問である。答えを先取りしていえば〝否〟である。それを明らかにしておこう。

まず、最近の発展途上国における累積債務残高にかんする公式統計から確認しておこう。表Ⅲ-4が明らかに示しているように、累積債務残高は増大し、ついに一兆ドルを超え、一九八六年末には一兆三五〇億ドル、また民間資金も八六年末には五三八〇億ドルに達して、少しも改善を示していない。また事実、債務は返済されず、リスケジュール(債務返済繰延べ)額も八

表 III-4　発展途上国の累積債務残高の推移

単位：10 億ドル

	1982	1983	1984	1985	1986（速報値）	1987（推計値）
債務残高	825	890	929	992	1035	1080
中・長期	611	697	741	805	852	895
公的資金	217	238	256	291	314	335
民間資金	394	459	485	514	538	560

（資料）　The World Bank, *World Debt Tables*, 1987

表 III-5　債務救済額の推移

単位：億ドル

	1983	1984	1985	1986（速報値）
債務繰延べ額	422	1044	294	711
民間銀行分	338	1005	131	574*
公的分	84	39	163	137
新規融資	130	104	53	26

*　メキシコに対する 437 億ドルの繰延べを含む

（資料）　The World Bank, *World Debt Tables*, 1987

六年末七一一億ドルに達し、そのうえ新規融資も継続されている（表Ⅲ-5をみよ）。

それでは、なぜアメリカの対外純資産・負債（地域別）（投資形態別）構成におけるラテンアメリカのシェアが減少し、また銀行融資形態のシェアが減少を示すのであろうか。このナゾを解くためには、ラテンアメリカに対するアメリカの対外資産・負債残高の構成を分析する必要があろう。図Ⅲ-5はそれを棒グラフで表現している。

中南米の米国向け銀行融資

図Ⅲ-5から歴然としているのは、やはりアメリカのラテンアメリ

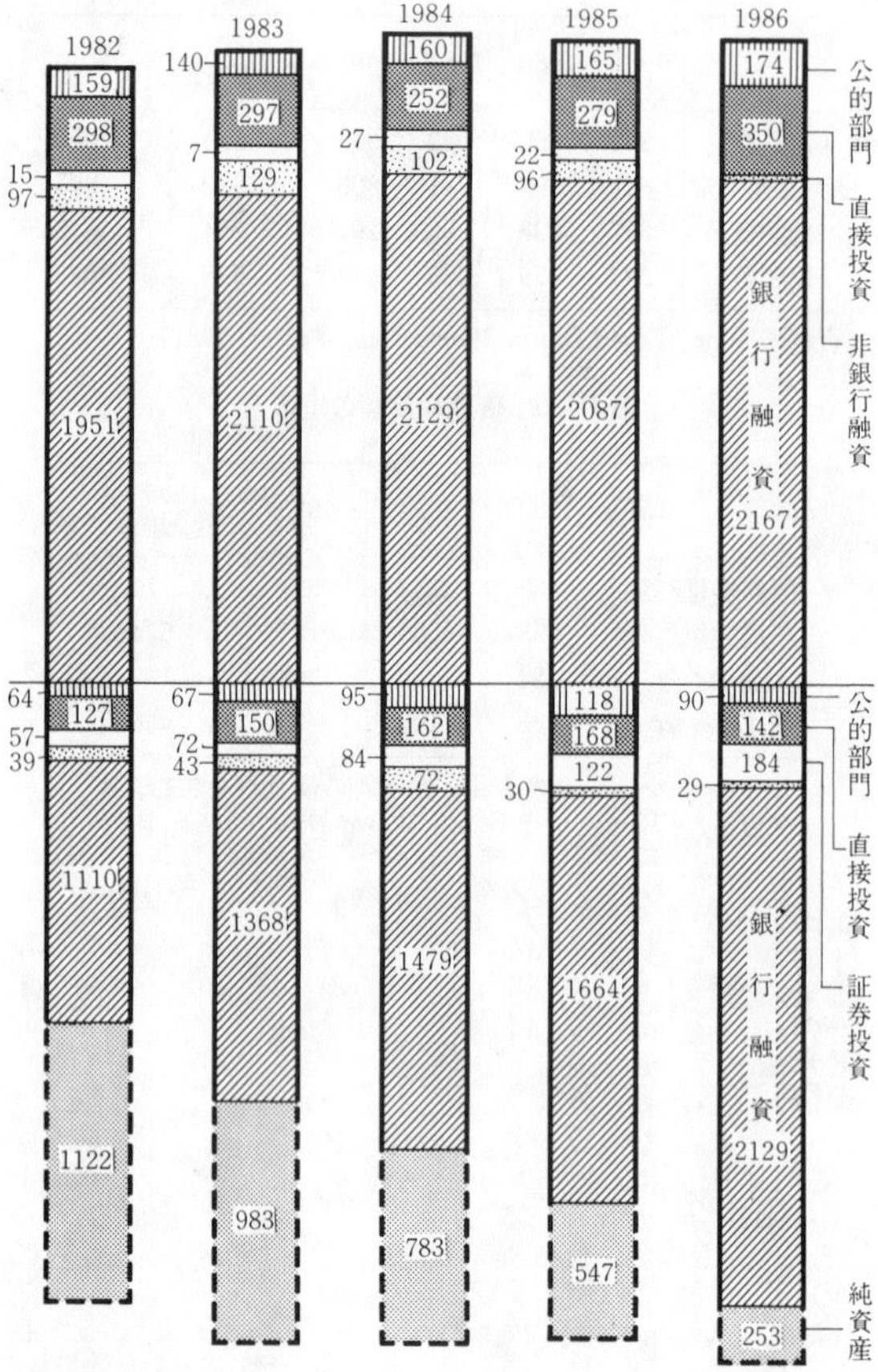

対外資産・負債残高の推移

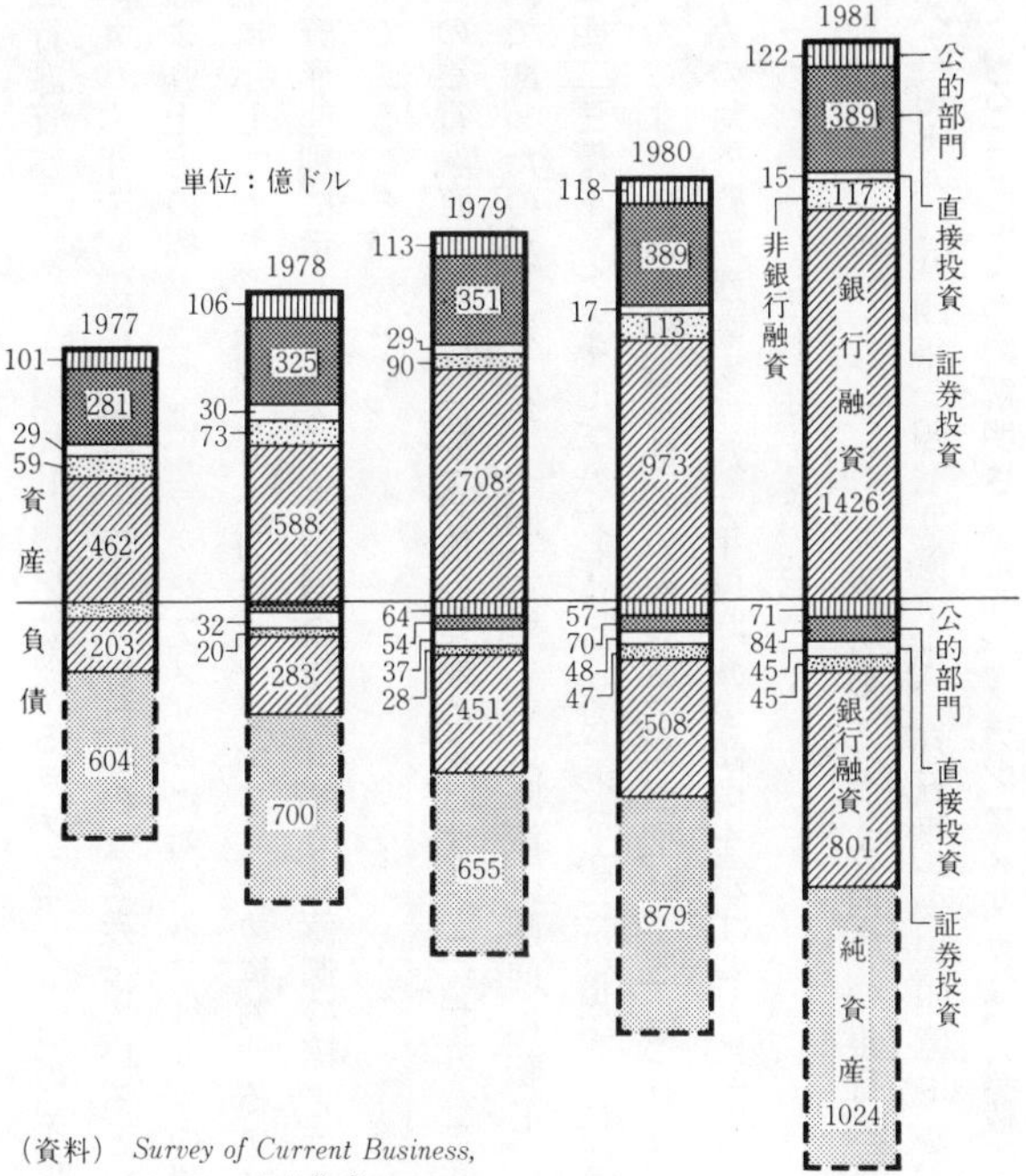

（資料） *Survey of Current Business*, 1977-86により作成

図 III-5　ラテンアメリカに対するアメリカの

カ向け民間銀行融資残(アメリカの民間銀行に対するラテンアメリカの累積債務高)は減少を示さないで、一九八六年末、実に二一六七億ドルの巨額のまま残っているという事実である。この図は、横線より上方の棒グラフは、ラテンアメリカに対するアメリカの対外資産残高の推移を投資形態別に示しており、横線より下方は、ラテンアメリカに対するアメリカの対外負債残高の動きを投資形態別に示している。資産側の棒グラフも負債側の棒グラフも、銀行融資形態の割合が最大であることがわかる。

ところでこの銀行融資形態の資産と負債の差額に着目すると、一九八二年(八四一億ドル)までは増加傾向であったのが、八三年(七四二億ドル)以降減少傾向に転じ、八四年(六五〇億ドル)、八五年(四二三億ドル)、そして八六年には実にわずか三八億ドルにまで減少していることがわかる。このように銀行融資形態の資産負債差額が推移するにつれて、ラテンアメリカに対するアメリカの対外資産残高も、八三年以降減少傾向を示すことになる(図Ⅲ-5では、横線より下方の棒グラフの点線部分がそれを示している)。

要するに、前述のナゾは、ラテンアメリカからアメリカ向けの銀行融資が八三年以降急増(八三年一三六八億ドル、八四年一四七九億ドル、八五年一六六四億ドル、八六年二一二九億ドル)を示していることによって解明されよう。ラテンアメリカは、累積債務を返済するのではなく、* それとは別に銀行融資形態のアメリカ向け投資（正確にいうとアメリカの民間銀行向け融資）を急増させてきたのである。それは、八三年頃から顕著になったアメリカ向け輸出超過額の増加、およびラテンアメリカにおけるインフレ回避のためのアメリカ民間銀行への資本逃避によるものであろう（表Ⅲ-6「ラテンアメリカに対する資金流入」を見よ。なお前掲拙著一二二―一二三ページ参照）。

＊ ラテンアメリカの累積債務のアメリカ向け返済が全くなかったわけではない。図Ⅲ-5によっても明らかなように、ラテンアメリカ向けの銀行融資残の対前年増加分は一九八三年（一五九億ドル）、八四年（一九億ドル）と減少していき、一九八五年にはついに四二億ドルの対前年マイナス額を示しているからである。

「時限爆弾」　この点、もう一度ラテンアメリカの側から見ておこう。石油ショック後、異常に巨額な国際資金が主としてアメリカから流入し、それによってラテンアメリカ諸国の国内支出が拡大し、国内で生産される資源だけで到達できないレベルまで国内総生産が増加する。かくて資本が流入するにつれて、貿易収支の赤字は増大していき、対外債務は累積していく。ところが一九八二年八月メキシコの債務危機以降は、この動きは逆転する。三重の圧力がラテンアメリカの上にのしかかってくる。すなわち資本流入の減少、緊縮的マクロ経済政策、そして実質為替レートの切下げである。

これらの措置によって、まずラテンアメリカへの純資金移転額がマイナスに転じた(表Ⅲ-6中段をみよ)。すなわち資金流入額自体はプラスの値であったが、それから元利支払額を差し引いたネットの資金移転額は、一九八三年以降マイナスを示している。しかも資金流入額から元本償還額のみを差し引くと、依然としてプラスの増加をつづけているため債務残高は減少しないばかりか、増加を示し、累積債務の爆弾はなお時を刻みつづけている。

他方、八二年以降、貿易収支は一挙に、いわば強制的に黒字に転じたが、この黒字をもたらしたのは、輸出の増大によるところわずかで、むしろ、ほとんどが輸入額の急減によるものであった(表Ⅲ-6を見よ)。しかし、そのため経常収支も黒字となり、アメリカの民間銀行に向かっての短期民間資本の流出(資本〝輸出〟国)に転じたが、それは必ずしも、ただちに累積債務の返済に充てられる性質の資金の流れではなく、いわば、アメリカの民間銀行にとっては、貸出(累積債務)と預金(短期資金)の両建て現象を呈することになった(図Ⅲ-5を見よ)。その現象はまた、国際的な投資形態における金融資産形態の激増という結果をもたらしたことはいうまでもない。

以上の事実から明らかなように、アメリカを脅かすラテンアメリカの累積債務問題は少しも

表III-6　ラテンアメリカに対する資金流入

単位：億ドル

	1980	1981	1982	1983	1984	1985	1986
利子支払額(A)	173	222	272	254	284	285	266
元本償還額(B)	213	225	213	151	145	135	152
資金流入額(C)	440	609	506	310	286	201	198
純資金移転額＝(C－B－A)	55	161	21	－96	－143	－220	－220
貿易収支	－32	－54	54	283	371	329	166
輸出	936	997	903	918	1016	961	804
輸入	968	1051	849	635	645	632	638

（資料）　輸銀「海外投資研究所報」1988年3月号4ページ，World Bank, *World Debt Table*, 1987-88

改善のあとをみせないままで、アメリカはラテンアメリカからの対外純債務を増大させていったことになる。累積債務の増大をみて「時限爆弾が時を刻むような状態」と最初に指摘したのはボルカー前FRB議長であったが、ヘルムート・シュミット西ドイツ前首相は、さらに「非産油発展途上国の累積債務は潜在的な時限爆弾である。それを時限爆弾第一号と呼ぼう。第二号はアメリカの債務である」(『日経』一九八七年一月一九日)とそれを補足している。アメリカは、ラテンアメリカにおける時限爆弾第一号を未解決のままにして、自ら第二号の時限爆弾をかかえ込んだことになる。

ベーカー構想　これら累積債務問題の打開策としては、一九八五年一〇月のソウルIMF総会でベーカー財務長官が提唱したいわゆる「ベーカー構想」が有名である。それは「成長を重視する経済構造改革を推進する債務国に対して、国際機関や民間銀行が引続き新規融資を行なうこと」を基本戦略とし、そのために重債務国一五カ国(アルゼンチン、ボリビア、ブラジル、チリ、コロンビア、エクアドル、コートジボアール、メキシコ、モロッコ、ナイジェリア、フィリピン、ペルー、ウルグアイ、ベネズエラ、ユーゴスラビア)に対して一九八六年以降三年間に民間銀行から総額二〇〇億ドルの新規融資を行なうことを内容としている。しかしその後二年間に成立した民間銀行の新規融資は、メキシコ(六〇億ドル)、アルゼンチン(一九・五億ドル)、エクアドル(三・五億ドル)など、きわめてわずかの国にとどまっている。要するに、ベーカー構想は予期した効果を発揮するに至っていない。

そのためであろうか、一九八七年二月ブラジルが、対民間銀行中・長期債務の一部(六八〇億ドル)に対する利子支払いの一方的停止措置を実施するに至った。このような累積債務問題の解決困難ないし〝長期化〟に対応して、八七年五月一九日、シティバンクの持ち株会社であるシティコープは、四―六月期の決算で、総額三〇億ドルにのぼる貸倒引当金《かしだおれ》を積み増し、その結果、巨額の赤字(年間約一〇億ドル)を計上した。またチェース・マンハッタン銀行(一六億ドル)、セキュリティ・パシフィック銀行(五億ドル)のほかイギリスのナショナル・ウェストミンスター銀行など四大銀行、カナダのロイヤル銀行、モントリオール銀行など六大銀行が

表III-7　アメリカ主要銀行の融資残と貸倒引当金

単位：億ドル

銀行名	第3世界諸国への主要融資(1986年末)	貸倒引当金(1987年3月末)	不良債権比率(%)
シティコープ	149	49*	5.1
マニュファクチュラース・ハノバー	75	10	6.3
バンカメリカ	67	21	7.9
チェース・マンハッタン	64	11	5.5
ケミカル	44	7	6.2
J. P. モルガン	39	10	5.3
バンカーズ・トラスト	39	6	5.1

＊　1987年6月末推定

(資料)　*Newsweek*, Jun. 4, 1987

これに追随した(アメリカ主要銀行の融資残と貸倒引当金については表III-7をみよ)。

以上の貸倒引当金の積増しはそれ自体、IMF・世銀中心の途上国への資金還流メカニズムの限界、さらにベーカー構想への不信の表明を意味するものであるが、同時に、後述する「債務の株式化」へのステップとみることもできよう。

債務の株式化

一九八七年九月末開催のIMF・世銀総会において、ベーカー財務長官は、行き詰まったベーカー構想の打開策として、「メニュー・アプローチ」を提唱した。それは債権国ならびに債権銀行によって採用可能な選択肢として九つのメニュー＊を提示して、その中から実行可能な方式を選ばせ、累積債務問題の解決に役立てようとするものである。

＊　①貿易金融・プロジェクト貸付(trade and project loans)、②ニュー・マネー債券(new money bond)、③オンレンディング(onlending)、④債務の株式化(debt-equity swap)、⑤債務国の国内株式に転換可能な証券(notes or bonds which are convertible into local equity)、⑥免責債(exit bond)、⑦慈善団体が使用するために債務証券を現地通貨に転換(conversion of debt paper to local currency for use by charitable organization)、⑧金利の元本組入れ(interest capitalization)、⑨国際収支支援融資(balance of payment loans)

ここでは、その中で脚光を浴びている「債務の株式化」(debt-equity swap)に触れておこう(以下の叙述は、栗原昌子「債務の株式化と対外途上国民間資金フロー拡大系」『東銀週報』第三一巻第二〇号、一九八七年五月一四日号による)。

日産自動車がメキシコ日産の増資に利用したケースが有名である。

メキシコなど累積債務国に直接投資しようとする企業(日産自動車)が、①アメリカの民間債権銀行がメキシコに対して持つ貸付債権(たとえば額面六〇〇〇万ドル)をシティコープを仲介にして(たとえば額面の六七%にあたる四〇〇〇万ドルで)買い入れる(シティコープはその仲介によって七%ないし一二%の利鞘を手に入れる)。②その債権(額面六〇〇〇万ドル)をメキシコ政府に転売して、割引料(一〇%、六〇〇万ドル)を差し引いた五四〇〇万ドル相当の現地

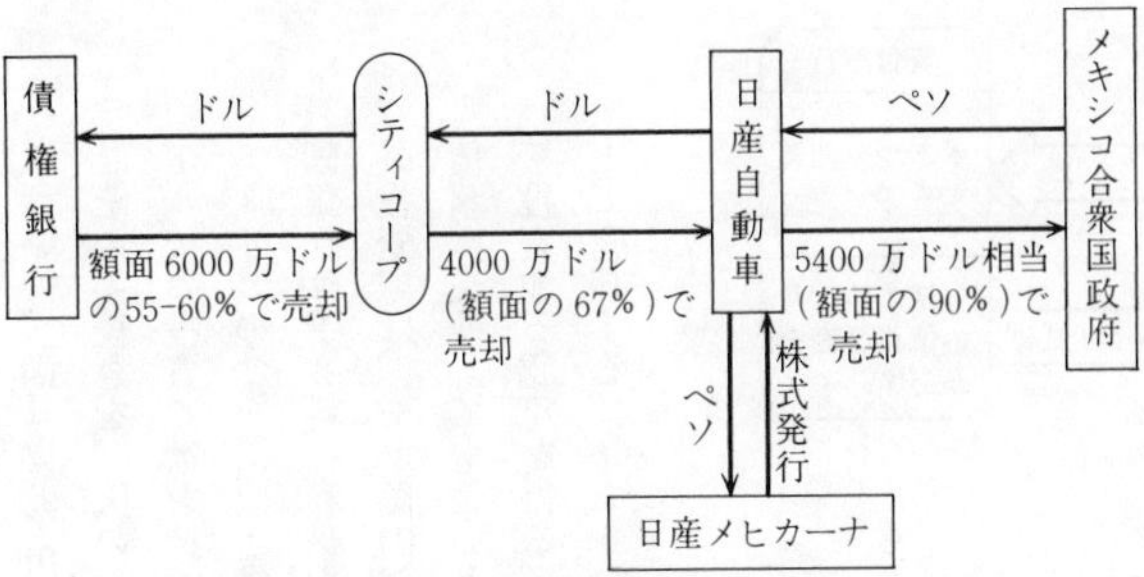

図 III-6 「債務の株式化」の一例

通貨を手に入れる。③その現地通貨を現地法人(日産メヒカーナ)の増資や新規投資に充当し、五四〇〇万ドル相当の株式を取得する。

この仕組みによって、①企業は、五四〇〇万ドル相当の現地通貨を四〇〇〇万ドルで調達でき、累積債務国への投資意欲を増大させることができる。外国からの直接投資のみならず、国外に逃避した資本を呼び戻すこともできる。また、②債務国にとっては六〇〇〇万ドル分の対外債務を現地通貨で返済することができるばかりか、外国からの直接投資が促進される。さらに、③アメリカの民間債権銀行の不良債権六〇〇〇万ドルを、四〇%ないし四五%程度のディスカウントで処理することが可能になる。また、ディスカウント分は損金計上ができる。〝一石三鳥〟といわれているのはこのためである。*

＊ 世界銀行は、債務の株式化(debt-equity swap)をチリの例

について、図Ⅲ-7を用いて説明している。

その手続きを、図の中の番号と矢印をたよりに辿っておこう。①海外の直接投資家が、チリに米ドルでの投資意欲を持ち、外国銀行を仲介にして株式化できる債務を探させる。②③外国銀行は、アメリカの(チリ向け)貸付銀行から見つけ出した債務証書を米ドルで割り引いて買い入れる。④外国銀行は手数料・利鞘を手に入れて、海外投資家にドル建て債務証書を米ドルで販売する。⑤⑥海外投資家は、チリ国内銀行の仲介により現地の債務者から元のドル建て債務を現地通貨ペソ表示の債務に交換してもよいという同意を得、同時に中央銀行からそのペソ建て債務回収代金をチリに直接投資する認可を得る。⑦⑧チリ国内銀行はチリ国内金融市場においてペソ建て証券を割り引いた上で売却する。⑨チリ国内銀行は、ペソ建て証書と引換えに入手した現地通貨ペソを入手して、海外投資家の投資対象としている企業の株式を購入するために使用する。⑩⑪チリ国内銀行は入手したチリ国内企業の株式を海外投資家に引

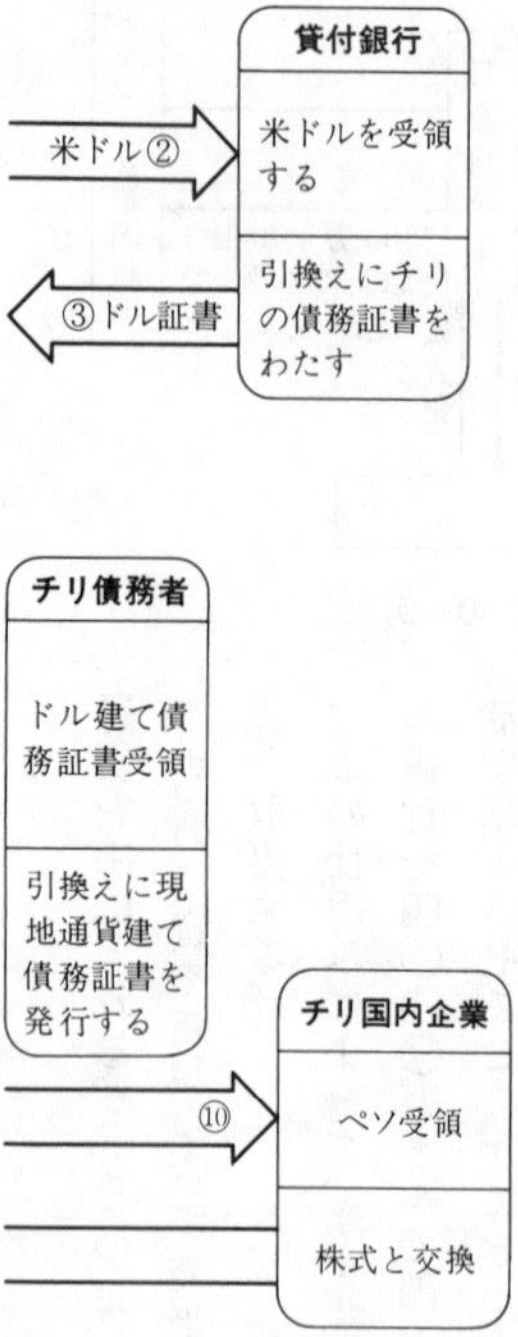

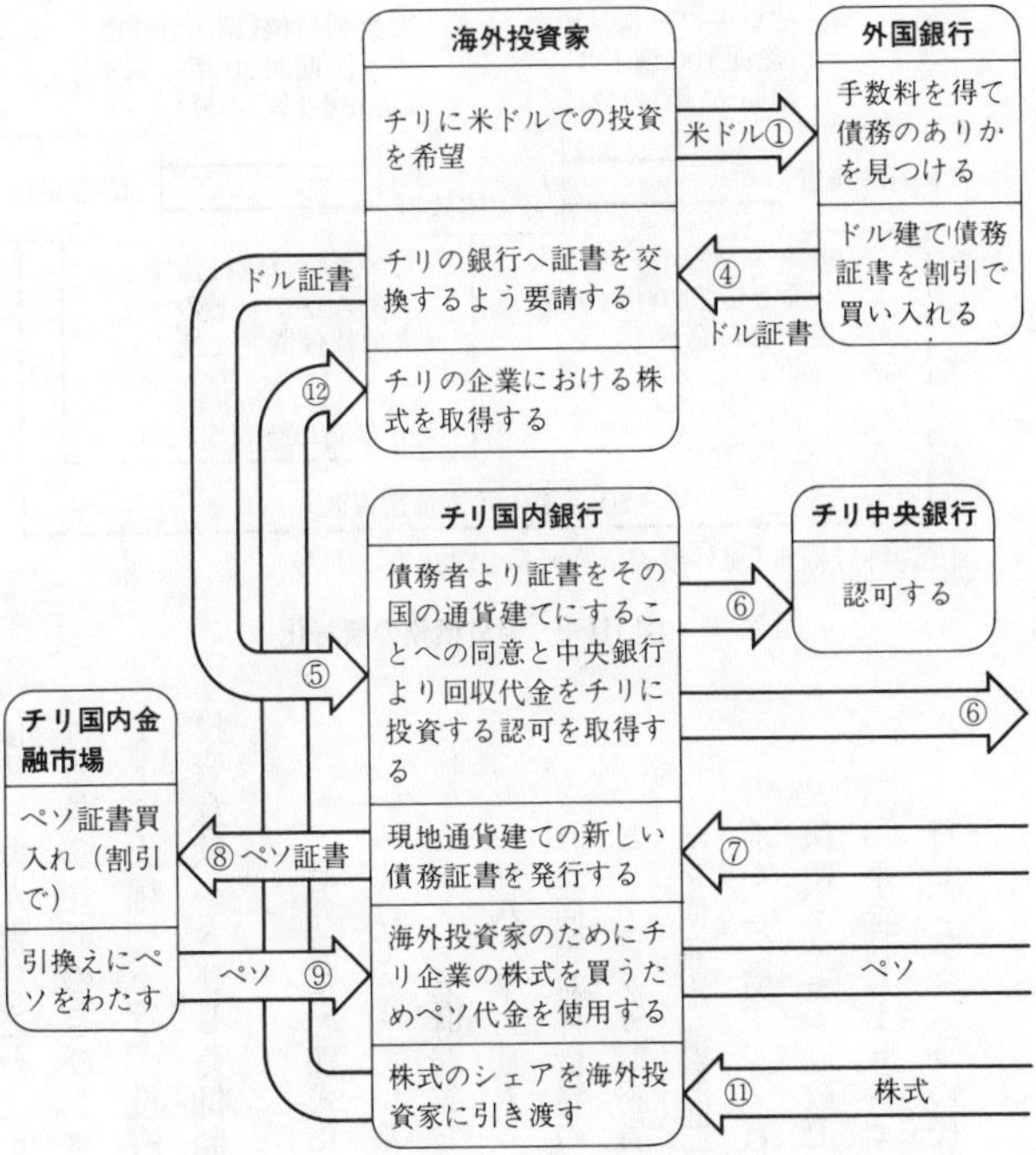
海外投資家
チリに米ドルでの投資を希望
チリの銀行へ証書を交換するよう要請する
チリの企業における株式を取得する
外国銀行
手数料を得て債務のありかを見つける
ドル建て債務証書を割引で買い入れる
米ドル①
④
ドル証書
ドル証書
⑫
チリ国内銀行
債務者より証書をその国の通貨建てにすることへの同意と中央銀行より回収代金をチリに投資する認可を取得する
現地通貨建ての新しい債務証書を発行する
海外投資家のためにチリ企業の株式を買うためペソ代金を使用する
株式のシェアを海外投資家に引き渡す
チリ中央銀行
認可する
⑥
⑥
⑤
チリ国内金融市場
ペソ証書買入れ(割引で)
引換えにペソをわたす
⑧ ペソ証書
ペソ
⑨
⑦
ペソ
⑪
株式

図III-7　債務の株式化(チリのケース)

き渡し、海外投資家はチリの企業の株式を取得する(The World Bank, *World Development Report*, 1987, fig. 2. 2)。

それにもかかわらず、一九八六年末までに行なわれた「債務の株式化」はせいぜい五〇億ドル程度にとどまっている。その理由は、民間債権銀行における貸倒引当金の無税積立てが限定的であって、そのため民間銀行の

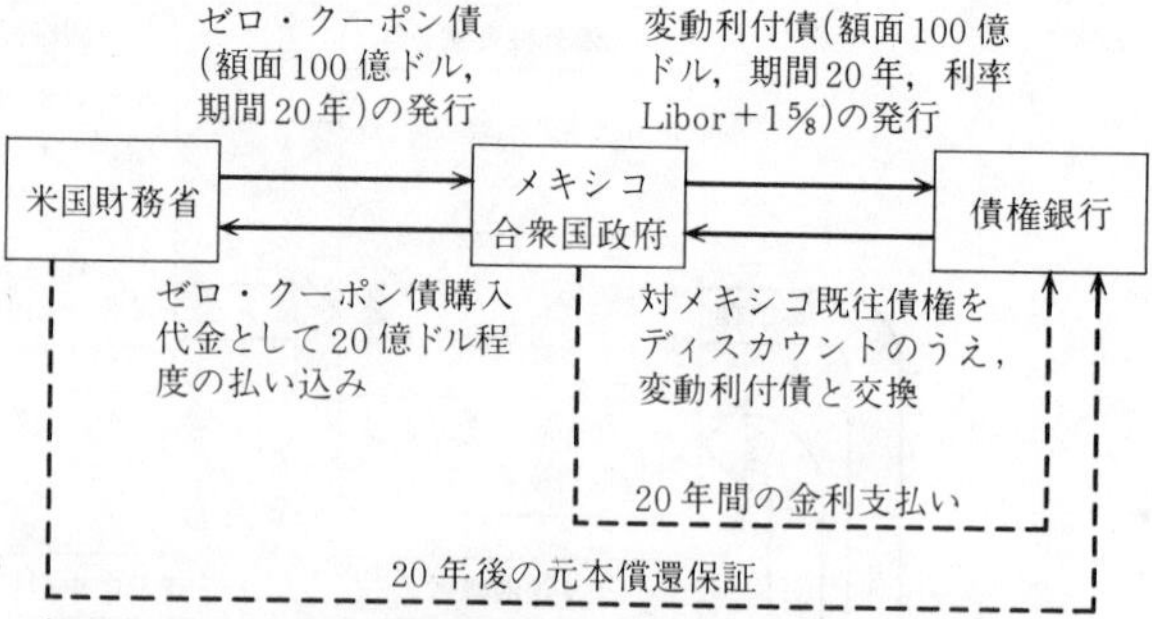

(資料) 輸銀『海外投資研究所報』1988年3月号

図III-8 対外債務の債券化

債権売却が制約されていること、および発展途上国における外資規制のきびしさ、政情不安、インフレ、為替レートの大幅切下げ、投資対象の乏しさなどによって直接投資意欲がきびしく抑制されていることである。*

* 対外債務の株式化とならんで、対外債務の債券化の試みもはじまっている。一九八七年一二月、メキシコ政府とアメリカ財務省およびモルガン銀行によって立案され、一九八八年二月末、メキシコ政府によって入札が行なわれた同国対外債務の債券化がそれである。具体的にいうと、アメリカ財務省の発行した期間二〇年のゼロ・クーポン債(割引債額面一〇〇億ドルを限度)を、メキシコ政府が二〇億ドルで買い取る。このゼロ・クーポン債を担保に、メキシコ政府は期間二〇年の変動利付債(期間二〇年金利Liborプラス一・六二五%)をドル建てで発行し、アメリカの民間銀行の所有しているメキシコ債券

と交換する仕組みである。この交換比率は入札で決めるが、交換比率が低ければ低いほど、メキシコは多くの累積債務を切り捨てることができる。メキシコ政府の希望は、五〇％の交換比率で累積債務二〇〇億ドルを新型変動利付債一〇〇億ドルと交換することができれば、一〇〇億ドルの債務軽減になる計算であったが、実際の落札総額は三六億六五〇〇万ドルにとどまった。落札平均の交換比率は六九・七七％で、五〇％には達しなかった。しかしこの結果、メキシコの対外債務残高は一一億八〇〇万ドル減少し、金利負担も二〇年間で一五億三七〇〇万ドル減少することになった。新型債と累積債務の交換比率の低下は、累積債務保有の民間銀行の評価損となるため、なお応札にブレーキがかかったものと思われる。

要するに、アメリカにとって累積債務問題は、なおシュミット西ドイツ前首相の指摘する如く、〝潜在的な時限爆弾第一号〟のまま居すわっていると考えてよいだろう。それにもかかわらず、アメリカとラテンアメリカとの間の対外資産・負債関係が貸出(累積債務)と預金(短期資本輸出)の両建て現象を呈しているというのも事実である。そうだとすれば、アメリカの巨額な対外債務は何によってファイナンスされた(＝賄われた)のであろうか。この点は、次節で詳しく分析しなければならない。

(3) 〃ひよわな債権国〃日本

よく知られているように、国際収支は、フローの動きを示し、対外資産・負債残高は、ストックの状態を明らかにする。企業会計になぞらえるならば、前者は損益計算書であり、後者は貸借対照表にあたるものである。いままでアメリカについて示してきた表Ⅲ-2、そしてそれにもとづく図Ⅲ-3、図Ⅲ-4も、アメリカの国際貸借対照表そのものであった。また図Ⅲ-5も、横線で資産と負債を区切って描いているが、やはりラテンアメリカに対するアメリカの国際貸借対照表にほかならない。

国際貸借対照表

本節では、日本の国際貸借対照表の動きを分析の対象とする。図Ⅲ-9は、投資形態別の日本の対外資産・負債残高表を示している。日本の対外純資産は、一九六七年までマイナスをつづけてきたが、六八年に至ってわずかに二・七億ドルながらプラスの純資産を記録し、ついに日本は債権国となった(図Ⅲ-1を見よ)。その後、第一次・第二次の石油ショックの影響で一九七四―七五年と一九七九―八〇年の二回、対外純資産は前年よりも減少したが、それを乗り越えた一九八二年頃から、日本の対外純資産は急速な増大傾向を示しはじめた。そしてすでに述べたように一九八七年末には、日本は二四〇七億ドルの対外純資産をもつ世界最大の債権国になった。

それでは、かつて一九二〇年代にイギリスが債務国に転落しアメリカが債権国化した後、パックス・ブリタニカに代わってパックス・アメリカーナを実現したように、近い将来、日本の経済的覇権の実現が予想されうるのであろうか。その問いに対しては、断じて〝否〟と答えざるを得ない。以下、そのひよわな構造を明らかにしていこう。

金融勘定のシェア

ここで、まず大蔵省発表の対外資産・負債残高について、若干の注意を喚起しておこう。その第一は、公表数字が貸借いずれもドル表示であって円表示は未発表だという点である。そのため、たとえば、ドル建て証券投資は、どのように円相場が円高・ドル安に動いても、不変のままにおかれていることになる。第二は、公表数字は、投資形態別の対外資産・負債残高に限っており、アメリカのように地域別統計は発表されていない。

さて図Ⅲ-9によって一九八〇年の対外純資産一一五億ドルと八一年の対外純資産一〇九億ドルを比較すると六億ドルの減少を記録している。八一年の経常収支(誤差脱漏、修正後)は五三億ドルの黒字(純資産増加)であったが、評価調整による純資産減少額が五九億ドルに達するため、その差額六億ドルの減少となって示されているのである。

図Ⅲ-9の投資形態別国際貸借対照表をみると、顕著な特徴は、第一に資産側、負債側の双方において金融勘定のシェアが大きいことであろう。金融勘定(その他を含む)は、民間短期資産あるいは民間短期負債であるから、これらを各年次ごとに比較すると、つねに短期負債の方が短期資産よりはるかに巨額であること、つまり短期負債超過が目立っている。これは、アメリカの国際貸借対照表には見られなかった特徴である。アメリカの場合は、銀行融資形態は、一貫して資産超過であった。

第二に目立っているのは、証券投資形態のシェアである。資産側と負債側の証券投資形態を比較すると、一九八〇年から八三年までは負債超過であったが、八四年以降八六年まで資産超過に転じ、その資産側の急増ぶりはきわだっている。第三には、輸出延払及び借款の形態をとった対外資産が一貫して増大をつづけている点であろう。第四に、民間直接投資の割合が比較的小さく、対外資産中せいぜい一〇%程度を超えない点(アメリカの場合は二五%に達している。表Ⅲ-2を見よ)であろう。なお負債側の直接投資形態は、とるに足りない金額にすぎない。以上は、すべて民間部門であるが、最後に政府部門形態は、つねに資産超過である。

以上、要するに、一九八三年以降の日本の対外純資産の急増に貢献した投資形態は、主としてドル建ての証券投資であり、その急増する証券投資の一部分をファイナンスするために金融

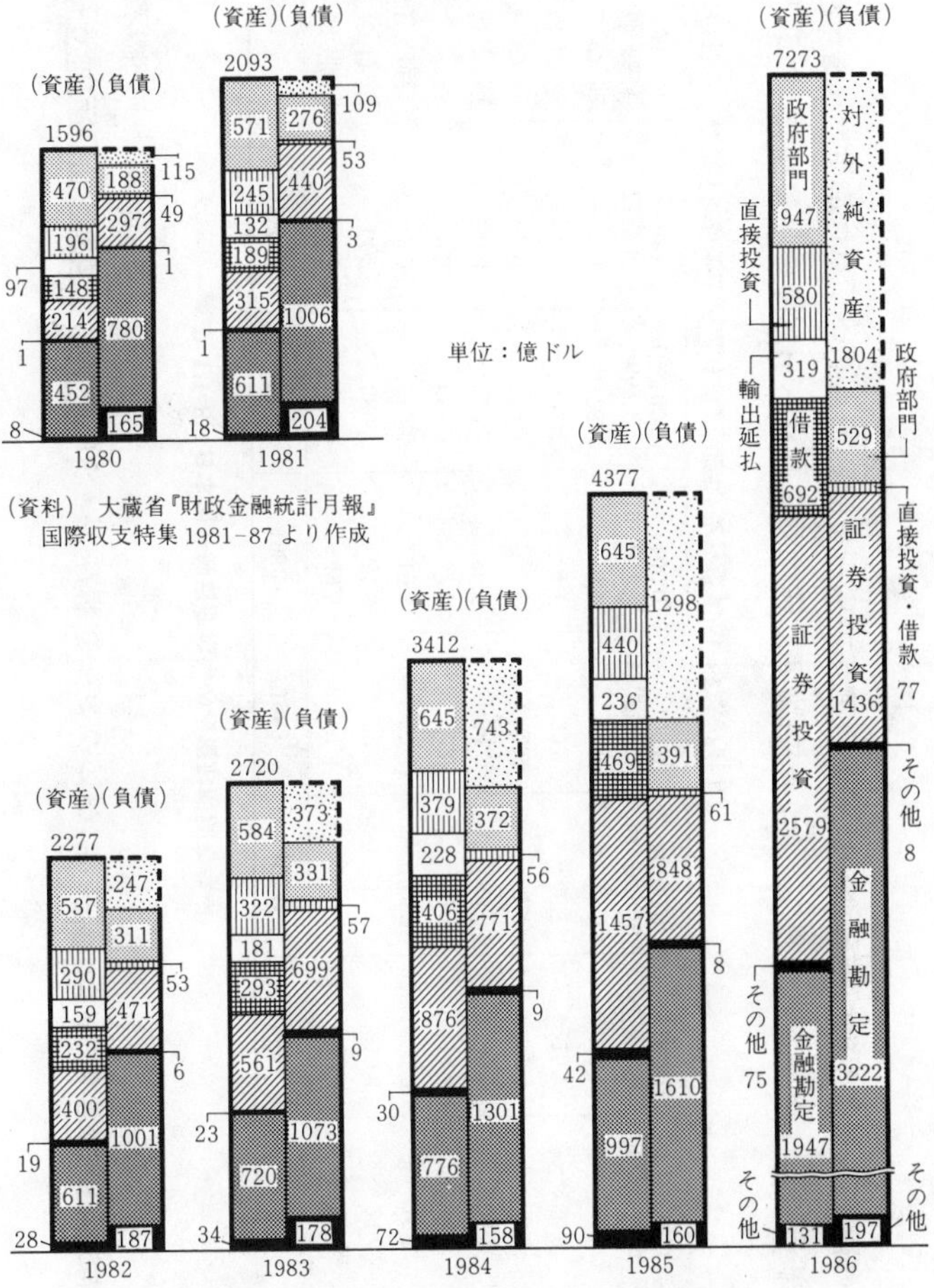

図 III-9 日本の投資形態別国際貸借対照表の推移

勘定の負債超過が役立っているという点に特徴がみられる（表Ⅲ-8「日本対外純資産増減の投資形態別寄与率」を見よ）。

表 III-8　日本対外純資産増減の投資形態別寄与率

単位：%

	1980	1981	1982	1983	1984	1985	1986
政府部門	1.5	204.9	−49.5	21.4	5.2	−3.4	32.5
直接投資	14.7	689.7	31.8	22.6	15.2	10.4	24.4
輸出入延払	−3.9	563.0	19.5	17.4	12.7	1.2	16.8
借款	0.5	689.9	32.2	48.0	30.7	11.4	44.2
証券投資	−30.0	−1222.2	39.5	−54.3	65.6	90.9	105.7
その他	2.0	−9.3	3.3	2.6	1.7	2.4	6.4
金融勘定	−72.8	−1092.4	4.1	29.9	−46.7	−15.7	−130.9
その他	−12.0	76.3	19.1	12.3	15.5	2.9	0.9
対純資産増加分	−172億ドル (−100.0)	−6億ドル (−100.0)	138億ドル (100.0)	125億ドル (100.0)	371億ドル (100.0)	555億ドル (100.0)	505億ドル (100.0)

（資料）　大蔵省『財政金融統計月報』国際収支特集 1981-87 より計算

西ドイツとの比較

以上の特徴を西ドイツの国際貸借対照表（図Ⅲ-10）と比較しておこう。日本の場合にも共通しているが、資産側および負債側にみられる金融勘定とその下に位置している「その他」の合計が、民間短期資産と民間短期負債であって、その他の直接投資、借款、証券投資および「その他」が民間長期資産と民間長期負債である。このように大別すると、日本の場合、資産において民間長期資産の占める割合は五〇％を超え、一九八五年においては六〇・四％、八六年には五八・四％に達しているのに対し、反対に負債においては民間短期負債の占める割合が五〇％を超え、八五年五七・五％、八六年六二・五％にまで及んでいる。これに対して西ドイツの場合は、資産に占める民間長期投資も、負債に占める民間長期負債もいずれも四〇％程度で、ほぼ見合っているのに気がつく。

要するに、日本の場合は、〝長期貸しの短期借り〟あるいは民間長期資産超過・民間短期負債超過という構造になっている。

投資形態別に見ると、西ドイツに比較して目立つのは、日本の場合、証券投資形態と金融勘定形態のシェアがとりわけ大きいことであろう。

先に、日本の国際貸借対照表がドル表示である点を指摘したが、西ドイツのそれ(図Ⅲ-10)もまたドル表示である。そこで日本と西ドイツの国際貸借対照表における外国通貨建て比率を見ておこう(表Ⅲ-9「日本・西ドイツ対外資産・負債に占める外国通貨建て比率」参照。なお以下の叙述は『東銀週報』一九八七年六月二五日号によっている)。

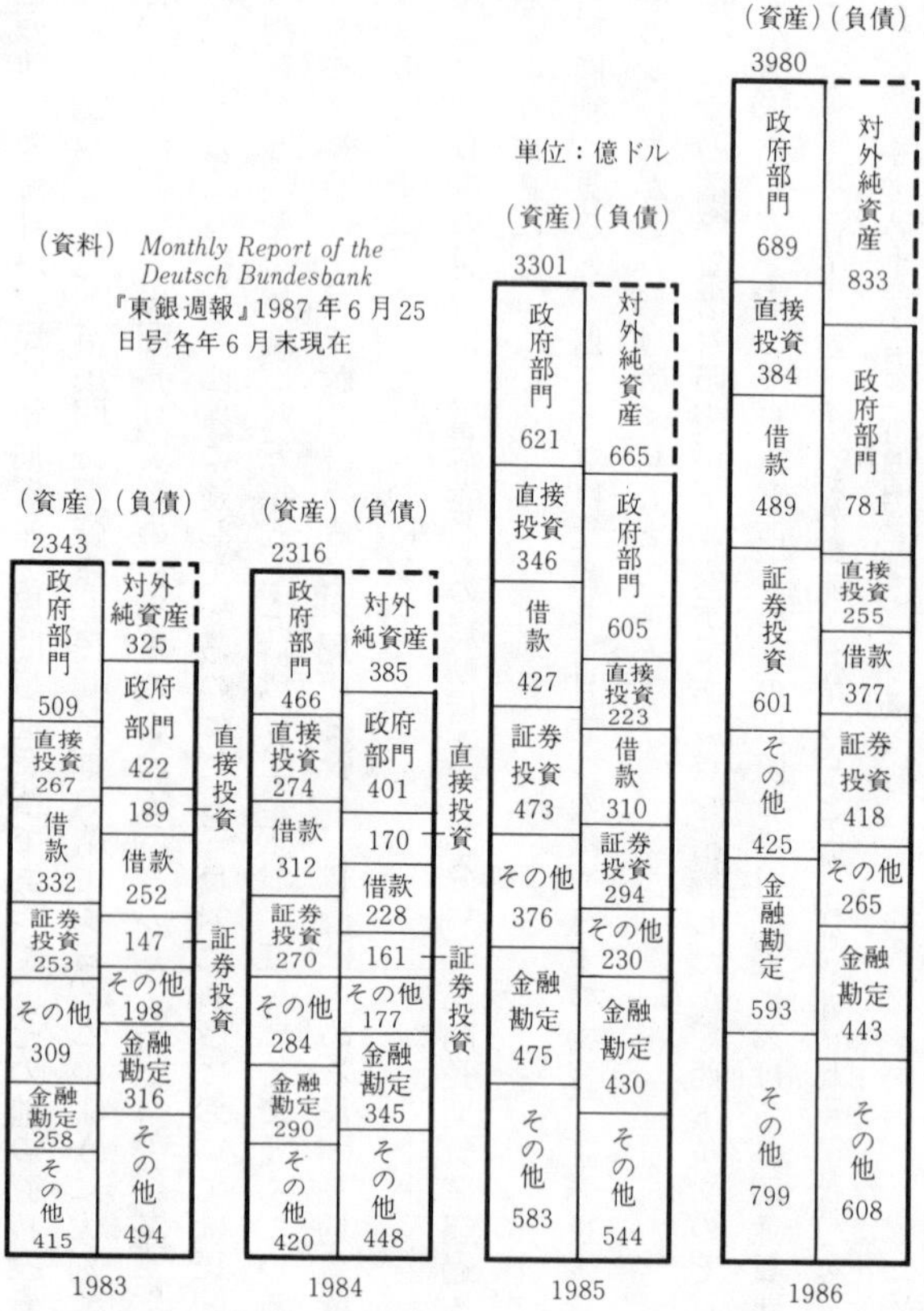
単位：億ドル
（資料） Monthly Report of the Deutsch Bundesbank
『東銀週報』1987年6月25日号各年6月末現在
（資産）（負債）
2343
政府部門 509
直接投資 267
借款 332
証券投資 253
その他 309
金融勘定 258
その他 415
対外純資産 325
政府部門 422
189
借款 252
147
その他 198
金融勘定 316
その他 494
直接投資
証券投資
1983
（資産）（負債）
2316
政府部門 466
直接投資 274
借款 312
証券投資 270
その他 284
金融勘定 290
その他 420
対外純資産 385
政府部門 401
170
借款 228
161
その他 177
金融勘定 345
その他 448
直接投資
証券投資
1984
（資産）（負債）
3301
政府部門 621
直接投資 346
借款 427
証券投資 473
その他 376
金融勘定 475
その他 583
対外純資産 665
政府部門 605
直接投資 223
借款 310
証券投資 294
その他 230
金融勘定 430
その他 544
1985
（資産）（負債）
3980
政府部門 689
直接投資 384
借款 489
証券投資 601
その他 425
金融勘定 593
その他 799
対外純資産 833
政府部門 781
直接投資 255
借款 377
証券投資 418
その他 265
金融勘定 443
その他 608
1986

図 III-10　西ドイツの国際貸借対照表（投資形態別）の推移

表 III-9　日本・西ドイツ対外資産・負債に占める外国通貨建て比率

単位：%

	日本				西ドイツ			
	1983	1984	1985	1986	1983	1984	1985	1986
対外資産	67.0	66.6	50.3	55.8	53.5	54.2	50.4	49.3
長期資産	52.8	55.2	55.1	61.7	47.2	50.0	48.5	50.9
政府部門	0.0	0.0	0.0	0.0	15.1	16.5	0.0	15.0
民間部門	65.5	65.4	64.1	70.0	52.6	55.7	56.5	56.8
短期資産	91.3	89.2	80.6	71.8	62.3	59.9	53.1	47.3
政府部門	100.0	100.0	100.0	100.0	99.4	99.4	99.2	98.9
民間部門	88.4	85.7	75.9	66.3	45.1	44.7	37.7	33.3
対外負債	55.2	56.6	50.3	55.8	22.4	22.8	19.6	17.5
長期負債	18.4	24.0	23.9	28.8	13.9	13.7	11.2	10.3
政府部門	5.4	13.8	10.2	12.0	3.8	3.6	2.7	2.4
民間部門	22.9	27.5	28.7	33.4	18.4	18.4	15.4	14.4
短期負債	84.2	79.6	69.6	71.3	33.5	34.4	31.8	29.8
政府部門	0.0	0.0	0.0	0.0	1.7	1.1	1.0	1.3
民間部門	88.8	83.5	73.6	74.3	36.1	36.7	34.2	32.7
対外純資産	億ドル 373	億ドル 744	億ドル 1298	億ドル 1804	億ドル 325	億ドル 368	億ドル 665	億ドル 833

（資料）『東銀週報』1987年6月25日号より作成

表Ⅲ-9より明らかなことは――

①対外資産および対外負債のいずれを見ても、外国通貨建て比率は日本の方が西ドイツより高い。それは、円の国際化よりもマルクの国際化の方が進展しており、貿易の面でも、円建て輸出は三〇―四〇%、円建て輸入は一〇%程度にすぎないのに、他方マルク建て輸出は八〇%以上、マルク建て輸入は四〇―五〇%にも達している。おそらく、西ドイツの背後にヨーロッパ共同体が横たわっていることと大きく関連するものであろう。

②日本の場合、民間長期資産および民間長期負債の外国通貨建て比率は漸増傾向を示しているのに対し、西ドイツの場合はほぼ一定(長期資産)か、漸減傾向(長期負債)である。

③日本の場合、短期資産も短期負債もともに、西ドイツに比べて数段高い水準の外国通貨建て比率ではあるが、年とともに漸減傾向を示している。

それでは日本の場合、なぜ民間長期資産の外貨建て比率を次第に高めつつあるかといえば、それは一九八六年よりドル建て国債を中心とする外貨建て民間証券投資が急増したためである。公社債残は対外証券投資全体の九〇%を超えている点が注目に値しよう。同時に外貨建て株式(ネット)の激増ぶりにも目を見はるものがある。一九八五年九・九億ドル、八六年七〇・五億ドルそして八七年一六八・七億ドル、その前年比は八六年七倍、八七年二・四倍に達している(表

Ⅲ-11を見よ)。

＊なお日本の対外証券投資のうちアメリカ向けについて、一つの推計が発表された。表Ⅲ-10がそれである。このうち直接取引というのは、証券会社を経由しない機関投資家を中心とする証券投資であって、一九八六年激増していたが、八七年(一—九月分)は減少を示している。全体としてみると、ネット合計中、証券会社経由分は約七五%を占めているが、一九八六年に限ってみると、六五%にすぎず、この年、直接取引がとりわけ増加したことが明らかとなる。また全体としてみると証券会社経由分中、株式ネット分は、四%程度にすぎないが、一九八六年と八七年に限ってみると、約五—六%に上昇している。「直接取引における株式と債券の内訳は不明であるが、証券会社経由と同様株式への投資比率が高まっているものと思われる」(『東京銀行月報』一九八八年七月号二七ページ)。要するに日本からアメリカ向け株式投資(ネット)は、一九八六年、八七年と急増していることが明らかとなる。

表 III-10　アメリカ向け証券投資状況

単位：億ドル

	直接取引 ネット	証券会社経由		ネット 合計
		株式 ネット	債券 ネット	
1983	12.83	3.57	34.00	50.40
1984	55.50	−1.18	59.30	113.62
1985	34.63	2.29	265.78	302.70
1986	171.24	15.75	308.87	495.86
1987*	63.74	17.08	255.14	335.96

＊　1987年は1-9月分

(資料)　『東京銀行月報』1988年7月号27ページより作成

表 III-11　対外証券投資

単位：億ドル

	株　式 取得－処分 ＝ネット	公社債等 取得－処分 ＝ネット	ネット合計
1980	−3.4	42.8	39.4
81	2.4	58.1	60.5
82	1.5	60.7	62.2
83	6.6	125.1	131.7
84	0.5	267.7	268.2
85	9.9	535.2	545.1
86	70.5	930.2	1000.7
87	168.7	732.6	901.3
計	256.7	2752.4	3009.1

（資料）大蔵省

表 III-12　海外証券発行

単位：億ドル

	株式	転換社債	社　債	公共債	ワラント債
1981	9.8	36.8	6.8	4.3	—
82	5.0	27.2	22.6	9.2	4.0
83	3.5	45.2	50.9	10.1	5.4
84	0.8	56.2	59.8	15.2	19.2
85	0.2	49.3	119.7	13.3	29.3
86	—	26.2	135.8	16.9	122.5
87	2.1	68.3	134.5	12.3	218.0
計	21.4	309.2	530.1	81.3	398.4

（資料）野村証券『財界観測』1988年3月号

また民間長期負債において外貨建て比率を高めている(三三・四%)のは、一九八六年より急増した「ワラント債」*を中心とする海外外貨債発行のためである(表Ⅲ-12を見よ)。

＊ワラント債というのは新株引受け権付社債のことで、日本では一九八一年の商法改正によって発行が認められた。一九八七年度前半(四月から八月まで)、マイナスの利子付債としてもてはやされたことがある(一九八七年五月一三日、大和証券国際金融部でマイナス利子付債について一つの実例(丸紅のケース?)を発表しているが、それについては伊東光晴「荒海に船出する日本経済」『世界』一九八八年一月号一一六ページを見よ)。

④反対に民間短期資産と民間短期負債においても、日本の場合の外貨建て比率は西ドイツに比しはるかに高い水準であるが、よく見ると年とともに漸減していることがわかる。その理由としては、一九八五年頃から外国為替公認銀行(為銀)によるユーロ円の取入れ・放出が拡大していったからである。

短期借り長期貸し　以上の分析から明らかなことは、日本の場合とりわけ対外資産の中で占める民間証券投資形態の割合が大きく、一九八六年には三五・五%にも達しており(西ドイツの場合一五・一%にすぎない)、しかも、その外国通貨建て比率も七〇%(西ドイツの場合五六・八%)という高さを示している。さらに、この民間証券投資形態の対外資産と民間証券投資形態の対外負債との差額(一九八六年、一一四三億ドル)は、長期純資産(長期資産四七六一億ドルと長期負債一九二二億ドルの差額、二八三八億ドル)の四〇・三%を占めており、証券投資形態のシェアの大きさは顕著である。

また日本の場合、対外負債(五四七〇億ドル)に占める民間金融勘定(三二二二億ドル)の割合が大きく、一九八六年現在五八・九%である。またそれ(三二二二億ドル)と対外資産の中の民間金融勘定(一九四七億ドル)との差額である対外民間金融勘定純負債額(一二七五億ドル)は、短期純負債(短期負債三五四六億ドルから短期資産二五一二億ドルを差し引いた額、一〇三四億ドル)の一二三・三%にも達している。この外貨建て比率も七四・三%(西ドイツの場合三一・七%)とかなり高い。かくて、西ドイツにくらべて、日本の国際貸借対照表の顕著な特徴は、民間証券投資形態をとった長期貸し(長期資産超過)を、民間金融勘定形態の短期借り(短期負債超過)によってファイナンスしている点に見出すことができるだろう。*

* 参考までにイギリスの投資形態別国際貸借対照表(ポンド表示)を示しておこう(図Ⅲ-11)。ドル表示の対外純資産(一六八七億ドル)が高水準を示し、一九八六年に日本と肩を並べているのは、専ら一九八〇年以降、北海油田の生産本格化に伴って経常収支が黒字基調になったからである。また投資形態別に見ると、その最大の特徴は「借款等」の割合が六〇%を超え、しかも資産側・負債側

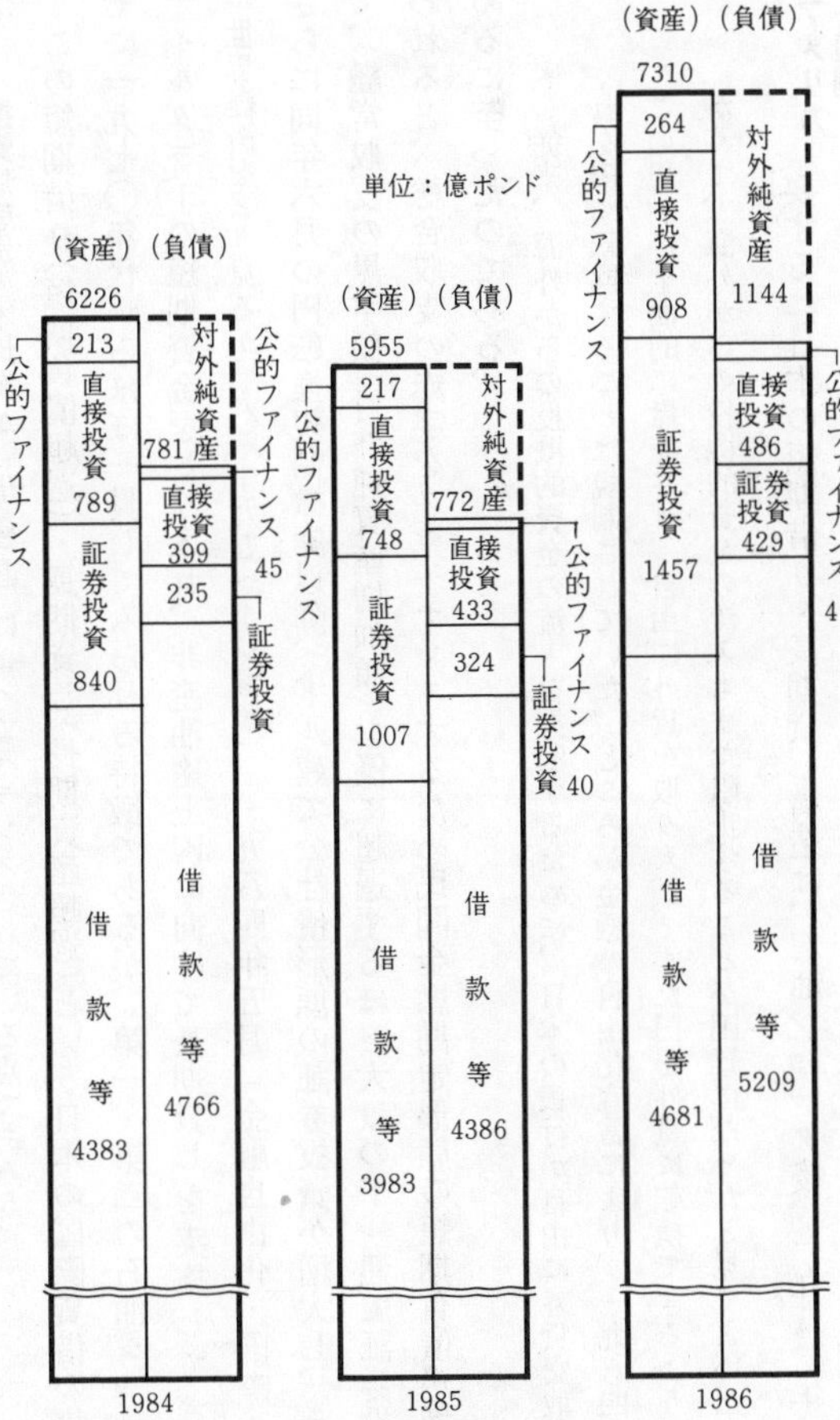

(資料) Bank of England, *Quarterly Bulletin*, Nov. 1987
『東銀週報』1987年11月26日号

図 III-11 イギリスの投資形態別国際貸借対照表の推移

投資形態別の不均衡が「借款等」によってバランスされている点であろう。

この短期借り（短期負債超過）・長期貸し（長期資産超過）という日本の国際貸借の構造は、すでに一九七〇年代からほぼ一貫してみられる特徴であるが、第一・第二の石油ショック以降、オイルダラーの短期資金をとり入れ、非産油途上国に向けて長期貸しを実施してきたが（拙著『世界経済をどう見るか』八八―九五ページ参照）、一九八四年五月「金融自由化・国際化宣言」、さらに同年六月の円転換規制撤廃以降*、ドル建て公社債形態の証券投資が増大し、それが昂じて、経常収支の黒字額（対外純資産増加額）を優に超過するほど大量のドル建て証券投資が行なわれると、総合収支の赤字をファイナンスするため民間金融勘定形態の短期負債が増加しはじめるに至ったのである。

＊ 従来、海外からの投機的資金の流入を抑制するために、日本の銀行が自由に外貨を取り入れ、それを円に転換することは規制されていた。ところが金融の自由化宣言により、一九八四年六月以降この規制が全面的に撤廃され、自由に外貨を取り入れ、また円を外貨に転換できるようになった。かくて、海外からの投機的資金の流入もまた阻止することが困難になったと見てよいだろう。

アメリカ一辺倒

要するに日本の短期借り・長期貸し構造は、石油ショック後、一九八二年メキシコ・ペソの暴落による累積債務危機に至るまで、さらに一九八三年三月の原油価格一バレル当り五ドル引下げによってオイルダラーの源泉そのものが急速に衰弱するに至るまでは、オイルダラーの取入れによる、非産油発展途上国向けの長期民間銀行貸出しの形態をとったが、とくに一九八五年以降、アメリカのドル建て債券（赤字国債の比重が大きい）に向けて対外投資を行なうために短期ドル資金を借り入れ、為替差損を極力回避しながら金利差と売買益を狙う「ドル・ドル型債券投資」が主流になっていったと考えられる。

以上のようなドル建て証券投資を主力とする日本の対外資産は、それと対照的にきわ立って低い発展途上国向け直接投資および世銀債はじめ国際機関の円建て債発行への協力、さらに円建て借款などの割合に着目する時、あまりにもアメリカ一辺倒の構造であり、そのうえ、それは為替レートがドル安・円高傾向をつづける限り、きわめてひよわな構造であるといわねばならないだろう。

したがって、いまアメリカ経済のヘゲモニーにはっきりした翳り現象が見えはじめても、それにとってかわって自立した日本経済のヘゲモニーが形成されてくる可能性はまず皆無と断定してよいだろう（「エピローグ」を見よ）。

2　レーガノミックスと臨調路線

(1)　日米部門別資金過不足

ミラー・イメージ

ワシントン国際経済研究所長バーグステン(C. Fred Bergsten)は、「アメリカの資金不足＝債務国的ポジションと、日本の資金過剰＝債権国的ポジションは、相互にかなりの程度ミラー・イメージ(鏡像、面対称)である」と述べた(C. Fred Bergsten, “Economic Imbalances and World Politics,” *Foreign Affairs*, Spring 1987, p. 790)。またハーバード大学ビジネス・スクール教授トーマス・マクロー(Thomas K. McCraw)は、「アメリカと日本は人種の違いこそあれ、原シャム双生児チャンとエン(一八一一年、タイの中国人を両親として生まれる)のような関係にあり、密接な協力で互いに利益を得ている」とも指摘している(Thomas K. McCraw, “Siamese Twins in the World Economy,” *Newsweek*, Oct. 1, 1987, p. 44)。アメリカの債務国化と日本の債権国化については、前章のストック分析においてその特徴を解明した。本章ではフロー分析の側面から、ミラー・イメージといわれる日米の資金過不足状況の実態に迫りたい。

図Ⅲ-12「日米部門別資金過不足」は、バーグステンのいわゆる日米相互の〝ミラー・イメージ〟を明瞭に示している。一九八六年、アメリカの資金不足（一一七五億ドル）が海外部門によってファイナンスされており、他方、日本の資金過剰（一四兆一八〇〇億円、約八五八億ドル）は、海外部門へ向かって流出しているからである。そのうちアメリカへ向かったのは五三八億ドルである（図Ⅲ-15、表Ⅲ-29を見よ）。

そのようにきわ立った〝ミラー・イメージ〟はどのように形成されていったのであろうか。

それに先立って、一九八六年の日本の数字を用いて、資金過不足（貯蓄投資バランス）にかんする恒等式を説明しておこう。

まず、国民所得勘定から次式を得る。

個人部門の貯蓄超過（33兆7800億円）≒企業部門の投資超過（4兆3300億円）＋政府部門の資金不足（財政赤字13兆7600億円）＋海外部門資金流出（14兆1800億円）

つぎに、国際収支勘定から次式を得る。

海外部門の資金流出＝輸出等－輸入等＝経常収支黒字＝対外資産増（減）－対外負債増（減）

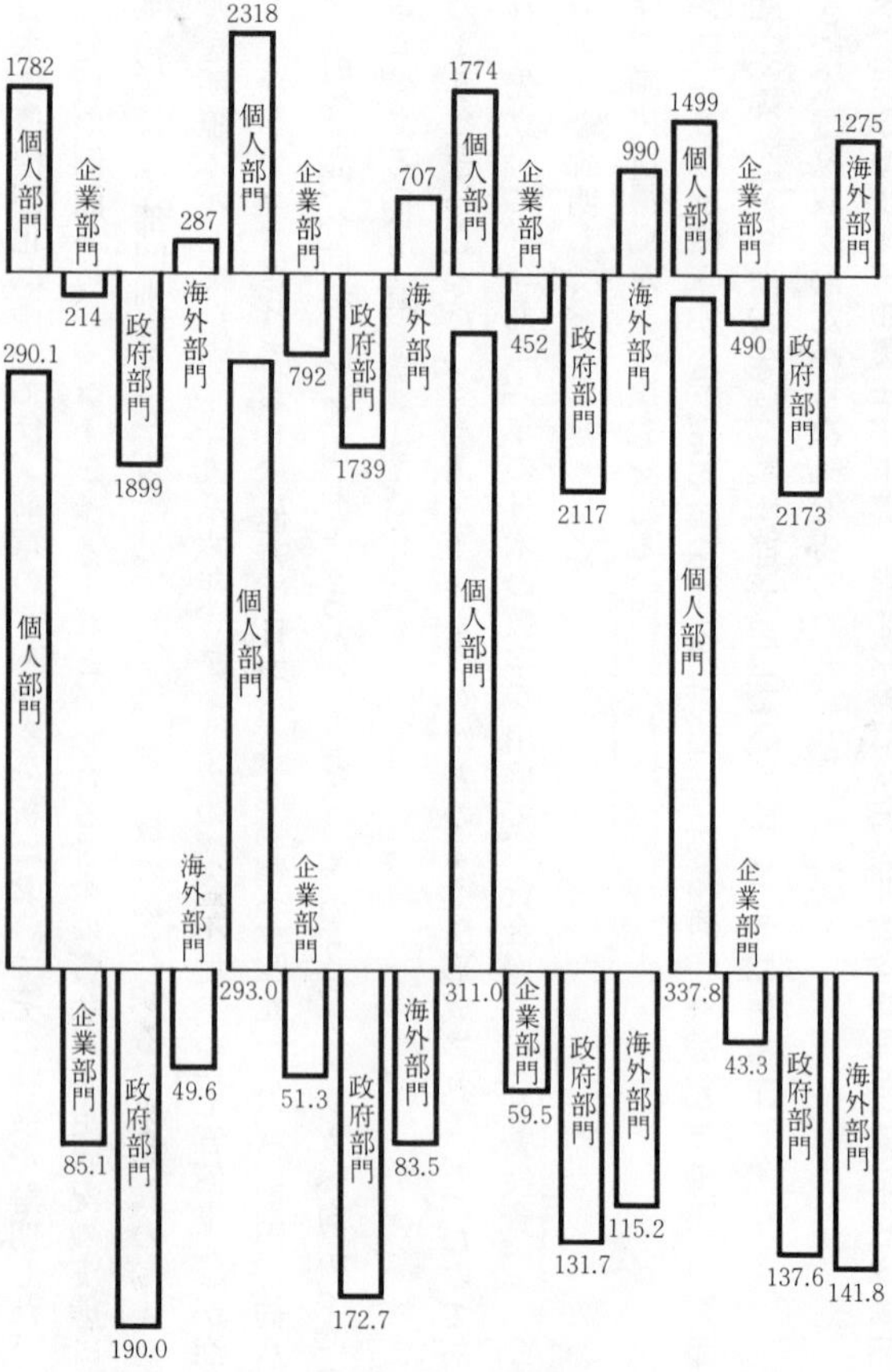

（日本資料） 日銀『昭和61年の資金循環』1987年6月

過不足(1980–86年)

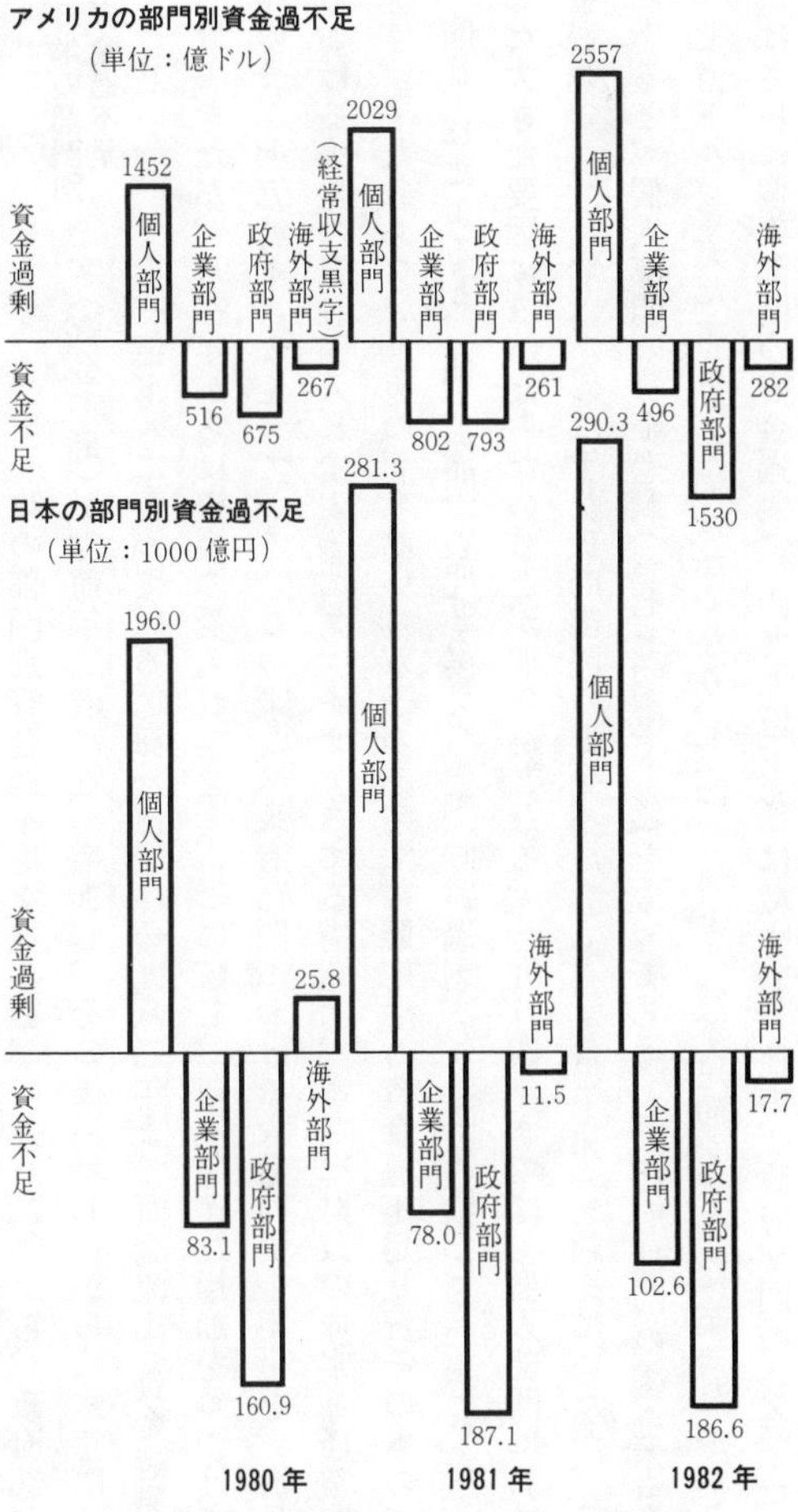

(アメリカ資料) FRS, Flow of Fund Accounts, 1987. 2

図 III-12　日米部門別資金

この最後の対外資産増減と対外負債増減のうごきについては、前章のストック分析においてかなり詳しく見た。本章の課題は、各部門別資金過不足のフロー分析である。

日米の部門別資金過不足

まず、アメリカの部門別資金過不足を見ると、一九八二年から、政府部門の赤字(資金不足)が対前年二倍に近く増加し、その後漸増しながら八六年には二一七三億ドルに至っている。海外部門は一九八二年まで資金流出(資金過剰)をつづけてきたが、八三年からは資金の受入れ(資金不足)に転じ、年々急速な増加をつづけて八六年の一二七五億ドルに至っている。このように政府部門における大量の資金不足を、海外部門における大量の資金受入れによってファイナンスする構造は、まさに財政の赤字と経常収支の赤字、すなわちアメリカの悪名高い〝双子の赤字〟に照応する資金過不足状況そのものである。

図Ⅲ-12によると、個人部門における資金過剰(貯蓄過剰)の急激な減少こそ、それをもたらした大きな要因にほかならないことが明らかとなる。一九八四年までは、個人部門における資金過剰(一三一八億ドル)はまだ政府部門の資金不足(一七三九億ドル)を超えていたが、八五年に至ると、個人部門の資金過剰(一七七四億ドル)をもってしても、政府部門の資金不足(二一一七億ドル)を充たすことができなくなり、三四三億ドルの不足額を示すに至ったが、八六年にはさらに個人部門の資金過剰(一四九九億ドル)は減少し、他方、政府部門の資金不足(二一一七三億ドル)はいっそう増大したために、その不足額は実に六七四億ドルの巨額に達している。この不足額の上に企業部門の資金不足額(四九〇億ドル)が加わって、巨額な海外部門からの資金受入れをもたらしたと考えられる。*

* アメリカの部門別貯蓄投資バランスについては、図Ⅲ-12とは別に野村総研の推計値(表Ⅲ-13)が利用できる。ただし公表数字はGNP比(%)で示されており、直接比較はできないが、注目すべきは、一九八七年、アメリカの家計部門においても投資が貯蓄を超え、資金不足になっている点である。かくて一九八七年、アメリカではついにすべての部門で資金不足が記録されたことになる。その不足部分をカバーしているのは、ひとり海外部門のみということになった。「要するにアメリカは、個人も企業も政府もモノをつくる以上にカネを使い、能力以上の暮らしをしている」(一九八七年二月二日、アメリカ上下両院合同委員会でのボルカーFRB議長の証言)といってよい。

次に、日本の部門別資金過不足の動きを見ると、政府部門における赤字(資金不足)は、一九八〇年以降一貫して一〇兆円を超え、一時(一九八三年)は一九兆円にも達していたが、一九八四年以降多少減少し、一三兆円台におさまっている(一九八七年は四・八兆円に激減)。一方海外部門においては一九八〇年には資金の受入れ超過(経常収支赤字)であったが、翌八一年から資金の流出超過に転じ、以後、年々流出超過をくりかえし、一九八六年には一四兆円を超える

表 III-13　アメリカの部門別貯蓄・投資バランス

GNP 比，％

	1984	1985	1986	1987
家計部門				
貯蓄	4.47	3.57	3.08	2.48
償却等	2.40	2.40	2.38	2.33
住宅投資	4.81	4.78	5.15	5.09
貯蓄－投資	2.06	1.19	0.31	－0.29
企業部門				
留保利益	2.49	2.48	2.19	1.68
償却等	8.60	8.50	8.40	8.37
設備投資	11.04	11.43	10.32	9.91
在庫投資	1.70	0.28	0.37	0.88
貯蓄－投資	－1.65	－0.72	－0.10	－0.74
一般政府歳入	33.57	34.07	34.15	34.93
歳出	36.36	37.43	37.64	37.30
収支	－2.78	－3.36	－3.49	－2.37
国内貯蓄－投資	－2.37	－2.88	－3.28	－3.41
経常収支	－2.84	－2.90	－3.34	－3.61

（資料）　野村総研『財界観測』1988 年 4 月号

資金流出を示すに至っている(一九八七年の資金流出は一二・五四兆円)。このように大幅な財政赤字をつづけながら、海外部門を資金流出超過に転じ得たのは、もっぱら個人部門の貯蓄過剰の増大によるものである。一九八〇年、一九・六兆円にすぎなかった個人部門の資金過剰は、八六年には実に三四兆円近くに達している(八七年は約二七兆円に低下している)。

消費性向と貯蓄性向

以上の分析から明らかな点は、アメリカの個人部門黒字(資金過剰の激しい低下傾向に対して、日本の個人部門黒字(資金過剰)の激しい増加傾向であろう。この対照的な動きは、消費性向・貯蓄性向の動きによっても確認できる(表Ⅲ-14を見よ)。

アメリカは、一九八二年より消費性向を高め、貯蓄性向を低下させはじめたことが明らかとなる。それは、アメリカの政府部門の赤字と相まって、その海外部門の資金受入れへの転換を決定的にした要因にほかならない。

他方、日本の方を見ると、一九七〇年代後半に年々消費性向を高め、貯蓄性向を低めてきた動きが一九八二年以降、消費性向八三―八四%、貯蓄性向一六―一七%の水準のまま、その動きをとめた事実がうかびあがってくる。

表 III-14　日米の消費性向・貯蓄性向

単位：%

		消費性向(限界消費性向)	貯蓄性向(限界貯蓄性向)
アメリカ	1980	91.0(84.8)	9.0(15.2)
	1981	90.6(87.2)	9.4(12.8)
	1982	91.2(101.0)	8.8(−1.0)
	1983	92.4(108.1)	7.6(−8.1)
	1984	91.4(81.7)	8.6(18.3)
	1985	93.0(116.8)	7.0(−16.8)
	1986	93.0(94.5)	7.0(5.5)
	1987	93.7(106.5)	6.3(−6.5)
日本	1980	82.1(85.1)	17.9(14.9)
	1981	81.7(75.4)	18.3(24.6)
	1982	83.5(121.4)	16.5(−21.4)
	1983	83.7(88.0)	16.3(12.0)
	1984	84.0(90.5)	16.0(9.5)
	1985	84.0(85.5)	16.0(14.5)
	1986*	83.4(68.9)	16.6(31.1)

*　日本の1986年については国民所得統計より試算したもの

(資料)　日銀『日本経済を中心とする国際比較統計』1988年

以上を整理すると、アメリカの場合一九八二年以降、政府部門の赤字を急増させながら消費性向を急速に高めてきたのに対して、日本の場合は、一九八二年以降は、政府部門の赤字をほぼ持続させながら、かなり低い消費性向とかなり高い貯蓄性向をほぼ不変に保ってきた点はきわ立った対照であり、それがアメリカ個人部門における資金過剰の激減、日本個人部門における資金過剰の増加傾向、そしてアメリカ海外部門資金受入れの激増と日本海外部門における資金流出の増加傾向という、バーグステンのいわゆる〝ミラー・イメージ〟の原因になっているものと思われる。

レーガノミックスと臨調路線

すでによく知られているように、アメリカの〝双子の赤字〟(政府部門の赤字と海外部門の資金流入)は、レーガノミックスのもたらしたものである。そしてレーガノミックスの経済的帰結は、何よりも大幅減税によってアメリカに消費性向の急上昇をもたらした点にあることが明らかとなろう。

それでは、日本の場合はどうか。日本の個人部門における資金過剰(貯蓄過剰)と海外部門における資金流出(経常収支黒字)の増加(〝双子の黒字〟)傾向は、一九八〇年代日本において強行された「臨調路線」の経済的帰結とみることはできないだろうか。これらの問題点を多少立ち入って考察しておこう。

表III-15　海外部門における資金流出と対外証券投資

単位：1000億円

	1981	1982	1983	1984	1985	1986	1987
海外部門資金流出	11.5	17.7	49.6	83.5	115.2	141.8	125.8
対外証券投資	19.5	23.8	38.0	73.9	140.5	170.4	128.9
法人企業部門	7.6	8.4	15.7	36.4	76.3	57.6	50.8
金融部門	11.9	15.4	22.3	37.5	64.3	112.8	78.1

（資料）　日銀『昭和61年の資金循環』1988年6月

対外証券投資の主体

すでに1章（3）節において、激増しつつある日本海外部門における資金流出の主たるパイプが日本の対外証券投資であったことは明らかにしたが（図Ⅲ-9「日本の投資形態別国際貸借対照表の推移」および表Ⅲ-8の「日本対外純資産増減の投資形態別寄与率」を見よ）、表Ⅲ-15「海外部門における資金流出と対外証券投資」は、対外証券投資の投資主体別構成を明らかにしている。それによると、一九八一年から八四年までは金融機関による対外証券投資が法人企業によるそれを上回ってきたが、一九八五年、両部門の対外証券投資がほぼ倍増するなかで、法人企業部門がはじめて金融部門を凌駕した。

それは第一に、一九八〇年一二月の新外為法の施行や内外資本市場の自由化措置、第二に累積債務問題の発生により発展途上国向け融資が抑制されたこと、そして第三に、一九八五年内外金利差が三—四％を持続したうえ、さらに堅調なアメリカ証券市場によって高水準のキャピタルゲインを獲得する期待が高まり、法人企業部門の

表III-16　大手生命保険7社の外貨建て損失
（1986年度決算）

単位：億円

	合　計	財産売却損	財産評価損	為替差損
日本生命	5111	802	1965	2343
第一生命	3658	747	1044	1866
住友生命	3044	707	911	1426
明治生命	1743	401	675	667
朝日生命	1784	274	652	859
三井生命	893	668	68	157
安田生命	830	530	107	193
計	17063	4129	5422	7511

いわゆる〝財テク〟の対象として、対外証券投資が顕著な増加を示しはじめたことによるものであろう。

しかし、一九八六年になると法人企業部門の対外証券投資は、円高による為替リスクの増大によって対前年ほぼ二五％減少したのに反し、金融機関の方は、一連の対外証券投資の緩和措置（一九八六年二月＝貸付信託勘定の外国有価証券取得解禁、三月＝生保・損保の非居住者発行外国有価証券組入れ比率の引上げ、四月＝年金信託勘定の外貨建て資産比率引上げ、七月＝株式投信の外貨建て資金比率引上げ等）が影響して、生命保険等の機関投資家を中心に、七五％増加し、再び金融部門の優位を復活させた。

なお一九八六年の対外証券投資は、激しい円高による為替リスクの中で行なわれたため、法人企業部門について触れた如く、当然投資意欲を削減させたにちがいない。一九八七年六月一六日発表の大手生命保険七社八六年度決算によると、外債や外貨預金など外貨建て資産の評価損、売却損を含めた為替差損は一兆七〇〇〇億円を上回っている（表Ⅲ-16）。それにもかかわらず、八六年、生命保険等の機関投資家が対外証券投資を対前年七五％も大幅に増加させていった裏には、為替差損を回避しながら金利差とキャピタルゲインを狙う「ドル・ドル型債券投資」の割合の増加が進行している事実を見落としてはならない。（なお一九八七年の対外証券投資は円高と「暗黒の月曜日」のため初めて大幅に減少し、法人企業も金融部門も対外証券投資を抑制している。*）

＊　「暗黒の月曜日」後の一九八八年三月末決算（一九八七年度）は、円高・ドル安による為替差損のほかに株価暴落による評価損がダブって計上されることになるため、万一為替差損を償却するために機関投資家によって株式売却が行なわれると、株式市場に大きな圧力を与えることになり、ふたたび株価の低落をひきおこし、一部金融機関の信用問題にまで発展しかねない危険があった。一九八六年度（一九八七年三月末決算）にも、たしかに巨額の為替差損が発生したが、当時は株式相場の高騰で、この為替差損を容易に穴埋めできる売却利益をあげることができた。一九八七年五月一四日午後の衆議院大蔵委員会において、平沢銀行局長は堀昌雄社会党議員の質問に答えて、「昭和六一年（一九八六年）度の為替差損については、株価高騰による含み資産の増加があるため、各社とも前年度積み残しも含め、全額を株式売却益を使って一度に償却することにしている」と明言してい

た。ところが一九八七年度は為替差損と株価暴落のダブルパンチを受けたため、大蔵省としても危機感をもち、八八年一月五日(一月四日寄り付きの円相場が一ドル=一二〇円四五銭と戦後最高値を更新した翌日)、三月末の決算処理基準について運用の弾力化をはかる方針をきめた。

具体的にいうと、金融機関は、すでに特定金銭信託(余裕資金を運用して運用利益をあげようとする事業会社がたとえば投資目的を有価証券に特定して信託銀行に金銭信託し、その運用を投資顧問会社の代行にまかせるような信託商品の一つ)やファンド・トラスト(正式には「金銭信託以外の金銭の信託」という。特定金銭信託の運用代行者である投資顧問会社の役割を信託銀行自らが担う場合と、信託銀行にも代行を委ねず、委託者である事業会社が自己の裁量で資金の運用を行なうケース)については期末の株価を基準に評価する低価法を採用しており、この原則は変更することはないが、ただ生命保険会社の場合に限って、保険契約者への配当率を決定する際の判断指標になる「総資産利回り」の計算に当って、特定金銭信託の評価損を計上しなくてよいといった特別の会計処理方法を導入した。この措置により生命保険会社が決算対策のためにキャピタルゲインを目的とした株式売却を行なわないで済ますことが可能になった。また事業会社に対しては、一九八八年四月以降の契約分について低価法、原価法のいずれを採用するか、選択制をゆるすこととなった。

なお、一九八八年一月一八日国会に提出された六三年度予算資料によると日本銀行納付金は金利低下や為替差損による収益悪化のため減少し、一九八七年度の八一五〇億円に対して三八五〇億円減の四三〇〇億円にとどまっている。日銀のドル買い介入の一つのツケといってよいだろう。

それでは「ドル・ドル型債券投資」(定義は一三七ページを見よ)がどの程度行なわれたのであろうか。これについては、詳細なデータは不明である。しかし、「日本の投資形態別国際貸借対照表の推移」(図Ⅲ-9)に基づいて作成した一九八五年と八六年の「対外資産・負債残高増加分の投資形態別内訳」(図Ⅲ-13)により、それを推測することができる。

「ドル・ドル型債券投資」

この図は、日本の対外資産の対前年増加分はどの投資形態をとり、対外負債の対前年増加分がどのような投資形態をとっているかを示している。これによって、年々新しくどのような形態で資金を調達し、どのような形態で海外投資を実施したかがわかる。上方の八六年を見ても、下方の八五年を見ても、資産においては長期資産の割合が六〇―七五%を占め、負債においては、短期負債の割合が七〇―七八%を占め、先に述べた〝長期貸し・短期借り〟の構造が浮彫りになる。

しかしながら、金融勘定に注目すると重要な変化に気がつく。八五年、金融勘定の資産側(一一二億ドル)と負債側(三〇九億ドル)の双方を比較すると、ほぼバランスがとれており、その差額(負債超過額)はせいぜい八七億ドルにすぎないが、八六年になると金融勘定の資産側

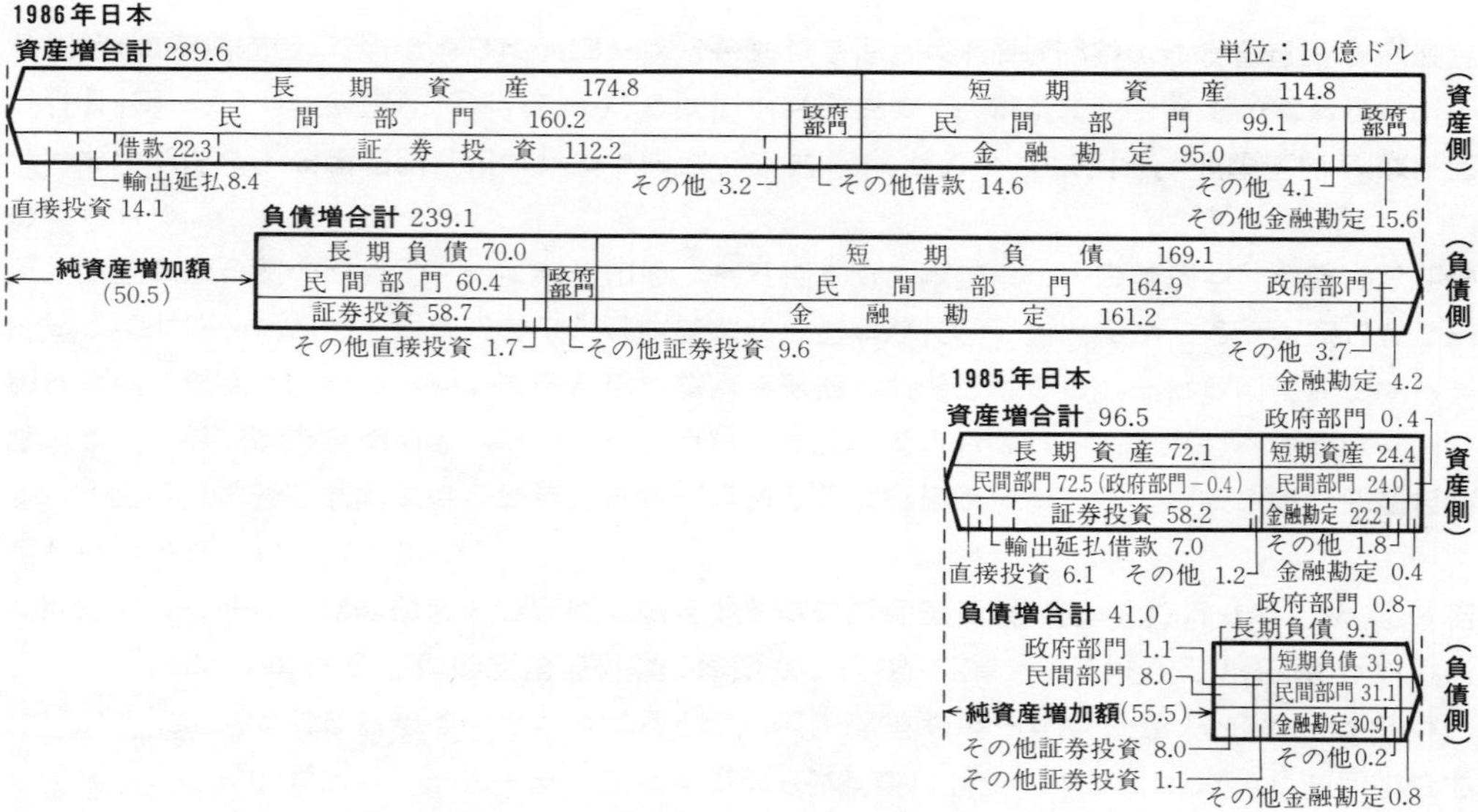
1986年日本
資産増合計 289.6
単位：10億ドル
長期資産 174.8
短期資産 114.8
民間部門 160.2
政府部門
民間部門 99.1
政府部門
借款 22.3
証券投資 112.2
金融勘定 95.0
輸出延払8.4
直接投資 14.1
その他 3.2
その他借款 14.6
その他 4.1
その他金融勘定 15.6
(資産側)
負債増合計 239.1
長期負債 70.0
短期負債 169.1
民間部門 60.4
政府部門
民間部門 164.9
政府部門
証券投資 58.7
金融勘定 161.2
純資産増加額 (50.5)
その他直接投資 1.7
その他証券投資 9.6
その他 3.7
金融勘定 4.2
(負債側)
1985年日本
資産増合計 96.5
政府部門 0.4
長期資産 72.1
短期資産 24.4
民間部門 72.5 (政府部門 −0.4)
民間部門 24.0
証券投資 58.2
金融勘定 22.2
輸出延払借款 7.0
直接投資 6.1
その他 1.2
その他 1.8
金融勘定 0.4
(資産側)
負債増合計 41.0
政府部門 0.8
長期負債 9.1
政府部門 1.1
民間部門 8.0
短期負債 31.9
民間部門 31.1
金融勘定 30.9
純資産増加額(55.5)
その他証券投資 8.0
その他証券投資 1.1
その他0.2
その他金融勘定 0.8
(負債側)

図 III-13　対外資産・負債残高増加分の投資形態別内訳(1985–86年)

（九五〇億ドル）と負債側（一六一二億ドル）の双方において金額が顕著に増大したばかりか、その差額（負債超過額）は六六二億ドルにも達している。この変化（八六年金融勘定形態における短期負債超過額の激増）は、明らかに八六年における「ドル・ドル型債券投資」の増大を有力に物語っている。一方、一九八五年までの証券投資形態の資産額（五八二億ドル）は金融勘定の差額（負債超過八七億ドル）をはるかに超過しており、「ドル・ドル型債券投資」というほどのものはほとんど見られなかったが、八六年に至ると一変し、証券投資形態の資産額（一一二二億ドル）に対して金融勘定の差額（負債超過額六六二億ドル）は約六〇％に達している。この部分が「ドル・ドル型債券投資」とみなしてよいのではないかと推測される。* これこそが一九八六年、激しい円高・ドル安の進行過程においてなお対外証券投資型の対外資産が増大していった背景であろう。

＊金融勘定形態については資産・負債の差額をとり、証券投資形態については資産のみをとったのは、次の事情によっている。すなわち金融勘定形態の資産・負債は、銀行を介して振替え可能であるのに対し、証券投資形態においては、資産の所有者が同時に負債の所有者であることはほとんどなく、かりにそれがあっても稀なケースと考えたからである。

しかし「ドル・ドル型債券投資」は本来、為替リスク回避の苦肉の策であるが、結果的には、

〝長期貸し・短期借り〟の構造を拡大しており、かつて累積債務問題について、キッシンジャーが「産油国からの短期預金が銀行の(非産油発展途上国向け)長期貸付に変わったとき、西側の金融業界の体質にどうしようもない脆弱性が生じたのである」(拙著『世界経済をどう見るか』九一ページ)と述べたように、日本の資本構造のひよわな体質をいっそう促進させていった点を見落としてはならないだろう。

かくて、この図Ⅲ-13は、「いまや世界経済は、モノの流れ(経常収支)における各国間の不均衡のみならず、資本収支の項目ごとの各国間不均衡をいかに調整するかという困難な課題に直面している」(John Plender, "And now for the credit crisis," *Financial Times*, April 14, 1987)ことを有力に訴えているといってよいだろう。また外国為替市場の需給関係に影響を及ぼすのは単に経常収支尻(図Ⅲ-13においては純資産増加額、八六年、五〇五億ドル)にとどまらず、資産側・負債側に示されている長期・短期の巨額な資金の流れ(資産増加額二八九六億ドル、負債増加額二三九一億ドル)の総額が、外国為替市場の需給関係に決定的な影響を与えていることも、あわせてこの図によって明らかとなってくるだろう。このような特徴は、ひとり最近の日本の対外資産・負債残高構造について見出されるだけでなく、アメリカについても、西ヨーロッパについても同様摘出することができる(アメリカについては表Ⅲ-3、西ドイツ、イギリスについては図Ⅲ-10および図Ⅲ-11を見よ。ただし西ドイツに関する限り、金融勘定の割合は比較的低率である)。

「ドル・ドル型債券投資」のほかに、もう一つ注目すべき変化がみられる。それは、一九八六年に入って、海外からアメリカ向け純投資のうち民間資本の純流入が減少し、とくに第3四半期以降、証券投資にかなり著しい減少傾向がみられるようになり一九八七年にはついに対前年半減以下にまで減少した点である。明らかにドル安に対する警戒のためである。他方、それに

表 III-17　アメリカ純資本収支の推移

単位：億ドル

	1984	1985	1986	1987
純資本収支	1065	1164	1414	1607
外国通貨当局	−1	−11	347	475
政府資本	−55	−67	−15	72
民間資本	848	1063	843	841
直接投資	215	18	−30	24
証券投資	308	639	758	324
非銀行取引	98	9	−68	49
銀行融資	227	397	183	445
誤差・脱漏	273	179	239	219

＋ 純流入，－ 純流出
(資料)　U. S. *Survey of Current Business*, 1988

代わって、外国通貨当局による対米純投資が急増している(表Ⅲ-17)。(政府・日銀の場合も一九八七年五月五日、ドル買い介入により急増している外貨準備を用いて、アメリカ一〇年物などの長期国債を購入する方針の検討をはじめた。)

外為市場の取引高

なお、本書の「プロローグ」においても、外国為替市場の一日当り取引高が最近激増をつづけている点について触れたが、ここであらためて、一九八六年三月現在、ニューヨーク連銀の呼びかけで、日・米・英の中央銀行が

表 III-18　東京市場の外国為替取引
(1986 年 3 月)

単位：億ドル

	全通貨	うち円・ドル
インターバンク取引(A)	6390	4920
対国内銀行取引	3070	2700
対海外銀行取引	3320	2220
対顧客取引　(B)	3210	2910
計　(A)＋(B)	9600	7830

(資料)　日本銀行外国局 1986 年 8 月 19 日

実施した外為市場一日当り取引高にかんする調査を示しておこう。

まず、外国為替取引は、銀行と国内銀行の取引、銀行と海外銀行の取引(インターバンク取引)と、銀行とお客との取引(対顧客取引)に大別され、インターバンク取引はさらに銀行間の直接取引と仲介業者を経由する取引に細分される。外国為替の取引形態も直物、先物、スワップの三種類があり、複雑で、そのすべてを含む調査は容易でない。しかし表Ⅲ-18は東京市場について初めて推計したものである。

それによると、東京外国為替市場の取引高合計は、一九八六年三月一カ月間で九六〇〇億ドル、一日当たり四八〇〇億ドルに達していることが明らかになった。アメリカのニューヨーク連銀が一九八三年四月当時推計した東京市場の取引高規模の実に約四倍に拡大したことになる。それは、東京市場の場合、一九八四年四月一日に先物外国為替取引にかかわる実需原則が廃止され、貿易や資本取引の裏付けのない外貨の売買が可能になったのを契機に、財テクに熱心な企業や機関投資家による外国為替取引が膨脹したからである。全通貨合計のうち、インターバンク取引は、三分の二を占める六三九〇億ドル（うち円とドルの取引は四九二〇億ドル）、そして対顧客取引は三分の一に当る三二一〇億ドル（うち円とドルの取引は、二九一〇億ドル）であるが、東京は世界で対外顧客取引の最も活発な市場となっている。またインターバンク取引は、国内の銀行同士が四八％、海外の銀行との取引が五二％である。

つぎに、一九八六年八月一九日ニューヨーク連銀が発表したニューヨーク外国為替市場の同年三月の一日当り取引量は銀行経由のもの五〇〇億ドル、前回調査時（一九八三年四月）に比べて九二％増加となっている。またノンバンク金融機関（対象となったのはソロモン、モルガン、スタンレーなど一三社）の外為取引量の方は銀行経由取引の一七％、一日平均八五億ドルであって、合計一日当り平均五八五億ドルであることが明らかになった。

さらに、ロンドン外国為替市場にかんする初の実態調査は、一九八六年八月二〇日イングランド銀行によって発表された。この調査は八六年三月前半の一〇取引日を対象に行なわれたが、ロンドン市場の外為取引高は一日平均九〇〇億ドルにのぼることが明らかとなった。ロンドン市場が日本の四八〇億ドル、ニューヨークの五八五億ドルを大きく上回り世界一の規模を示す背景としては、自由な金融市場としての長い歴史をもつことのほか、金融国際化によって二四時間取引への移行に伴い、取引時間がニューヨーク市場、東京市場と部分的に重なり合って、時差を利用して行なわれる取引の大きい点があげられよう。

なお一日平均取引高九〇〇億ドルのうち、自由通貨ポンドとドルの取引が占める割合が三〇%、ついでマルク・ドル取引が二八%、そして円・ドル取引は一四%で第三位を占めている(『日経』八六年八月二〇日による)。

これら三大外為市場の一日当りの取引高合計は、一九六五億ドル、年間では約五〇兆ドルにも達し、モノとサービスの世界貿易額全体(約三兆ドル)の一七倍弱、またOECD加盟国全体のGNP(一一・五兆ドル)の四倍にものぼっており、かつてそうであったように実需取引に限定された外国為替市場とは全く様相を一変していることが注目に値しよう。

(2) レーガノミックスの経済的帰結

四つの経済困難

この章においては、レーガノミックス、臨調路線のそれぞれについて、全面的にとり上げようとするつもりはない。おそらく詳しく分析すれば、それぞれ一冊ずつの著作が必要となることであろう。

さきに触れたバーグステンの次の表現――「アメリカの資金不足＝債務国的ポジションと、日本の資金過剰＝債権国的ポジションは、相互にかなりの程度ミラー・イメージ（鏡像）である」とか、「黒字国側がアメリカの赤字の是正を求め、あるいはその是正に協力するよりも、その赤字をファイナンスすることを選好した」とか、「〝サプライサイド・エコノミックス〟の奇跡とは、すなわち〝外国からほとんどの商品と資金が供給される〟ということにほかならない」(C. Fred Bergsten, "The Outlook for U. S. Trade, Globally and with Japan," January 29, 1987)――の中には、アメリカと日本の間の奇妙な関係が前提されているように見える。「黒字国」とか「外国」という言葉を「日本」と置きかえてみれば一目瞭然であろう。そのようなミラー・イメージは、いかにして可能になったのであろうか。ここでとり上げるのは、この課題に答えることに限定されている。

レーガンは、一九八一年大統領就任直後、二月五日午後九時からテレビ放送を行ない、その中で、「こんなことはいいたくないが、アメリカの経済状態は大恐慌以来、最悪である。われわれはこの真実に直面し、事態を認めねばならない」と危機感を強調したことは知られている。その上でレーガン大統領は、当時アメリカが直面していた経済的困難を四つ指摘した。

①インフレーション。アメリカの物価上昇率は、一九六〇年代の初めまで一―一・五％程度

であった。しかしこの二年間(七九—八〇年)のそれは年平均一三%に達している。

②失業。アメリカの失業者数は、一九八〇年当時、七八〇万人から八〇〇万人に及び、一列に並べると東海岸からカリフォルニアに達する長さである。

③生産性低下。アメリカの労働生産性は、一九四八—六八年の二〇年間、年率三・二%で上昇をつづけたが、六八—七三年の五年間の上昇率は、年率一・九%に鈍化し、七三—七八年の五年間の上昇率は、年率〇・七%まで低下し、それ以降の伸び率はマイナスに転じ、一九八〇年現在のそれはマイナス〇・六%を示すに至っている。単に労働生産性の量的側面のみならず、労働意欲の低下、労働の質の低下も無視することはできない。

④財政欠陥。アメリカの財政赤字は一九八〇年、八〇〇億ドルに達し、それは一九五七年の年間歳出額全体よりも巨額である。

四つの政策　大統領就任当時、アメリカ経済の現状について、以上四つの経済困難を診断したレーガンは、どのような処方箋を示したのであろうか。いわゆる〝レーガノミックス〟がそれであるが、具体的な内容は、一九八一年二月一八日発表の「アメリカの再出発——経済回復のためのプログラム」("America's New Beginning: A Program for Economic Recovery")の中で展開された。レーガン政権はアメリカ経済低迷の最大原因を何よりも政府部門の肥大化にあると考え、次の四つの政策を提案している。

①連邦支出伸び率の抑制。八二年度は四一四億ドルの歳出削減(軍事支出のみは五年間に一・五兆ドルに及ぶ増額)。

②大幅減税。個人所得税は、八一年七月一日より三年間、毎年税率を一〇%ずつ引き下げ、また法人所得税については、税率の引下げではなくて、税法上経費とみなされる減価償却費の増額を承認したのである。たとえば、工場、店舗、倉庫等の減価償却期間を一〇年に、機械設備のそれは五年に、そして乗用車、軽トラック、研究開発資材のそれを三年に、それぞれ短縮した。

その結果、減税額は、八一年八九億ドル(個人六四億ドル、法人二五億ドル)、八二年五三九億ドル(個人四四二億ドル、法人九七億ドル)……八六年二三三五億ドル(個人一六四二億ドル、法人五九三億ドル)と年々増大していく計算になる。

③連邦政府諸規制の緩和。石油価格抑制の撤廃や、IBM社に対する反トラスト法違反容疑の解消、金利の自由化等、民間経済に対する政府の介入を抑制していく、いわゆるデレギュレーション。

④適切な金融政策。マネーサプライの増加率を、実質経済成長率以下に抑制する安定的な金

融政策、要するにマネタリズムの厳守を約束する。

そしてレーガンは、これらの処方箋によって次のような効果の実現を期待している。

①物価上昇率の半減。一九八一年の物価上昇率一二・四%を八六年までに四・二%に低下させる。

②失業率の低下。八一年七・八%の失業率を八六年までに五・六%に低下させ、三〇〇万人の失業者に職を与える。

③成長率の上昇。実質成長率を次のように実現させる。八〇年マイナス〇・二%、八一年一・一%、八二年四・二%、八三年五・〇%、八四年四・五%、八五年四・二%、八六年四・四%。

④均衡財政。一九八四年までに財政の均衡を実現させる。

以上が「アメリカの再出発」によって具体的に展開された、いわゆる〝レーガノミックス〟である。

「レーガン不況」

レーガノミックスの理論構成はあとにまわして、その後一九八六年までのアメリカの経済指標によって、レーガンの期待を実績にてらして検証しておこう(表Ⅲ-19「アメリカの経済指標」を見よ)。

経済成長率から見ていこう。二年後の一九八二年には、レーガンの期待(四・二%)を大きく裏切ってマイナス二・五％を示している。「アメリカ合衆国は、一九八一年から八二年にかけて、歴史始まって以来最も深刻な部類に属する景気後退に見舞われた」のである（Daniell Bell & Lester Thurow, *The Deficits: How Big? How long? How Dangerous?*, 1985. 中谷巌訳『財政赤字』三一ページ）。しかし実質成長率は、一九八三年から一転して急速な回復を記録している（八三年三・六％、八四年六・四％）。なぜ一九八二年、レーガンの期待は裏切られたのであろうか。

まず財政赤字が急増したことである（表Ⅲ-19によると、一九八一年七二六億ドル、一九八二年一三〇七億ドル。八二年は一九八〇年の赤字六七九億ドルの約二倍である）。このこと自体レーガンの均衡財政への期待と大きくくいちがっているが、この点については後に考察することとして、財政赤字の拡大から話をはじめよう。マネタリズム厳守のもとで財政赤字が拡大すれば、それがなければ国内企業投資のために振り向けられるはずであった資金が財務省証券（赤字公債）の発行に充当されてしまい、クラウディング・アウト（資金の奪い合い）現象が発生する。このことはまた、海外の資金をドル建て証券投資に向けて流れ込ませることが可能な水準まで金利水準を上昇させていくことを意味している。このようなプロセスは同時に、マルクや円に比較してドルの高騰をもたらし、貿易収支と経常収支を急速に悪化させていくことになる（表Ⅲ-19を見よ）。

このため、一九八一年の半ばすぎから、ウォール街はドル建て証券を海外に向けて投げ売り

指標(1980-86年)

財政赤字(億ドル)	マーシャルのk*(%)	金利(%)		国際収支(億ドル)	
		公定歩合	プライムレート	経常収支	貿易収支
−679	16.1	13.00	21.50	4	−255
−726	14.8	12.00	15.75	62	−281
−1307	15.4	8.50	11.50	−94	−367
−1904	15.7	8.50	11.00	−467	−674
−1844	15.0	8.00	10.75	−1074	−1126
−2056	15.8	7.50	9.50	−1162	−1215
−2096	17.5	5.50	7.50	−1411	−1411
−1687	16.9	6.00	8.75	−1607	−1712

(資料) 日銀『日本経済を中心とする国際比較統計』1988年

し、次第に金利が引き上げられていき、国内の固定資本形成とりわけ民間住宅投資を再び激減させてしまったのである(表III-20を見よ)。「かくして、一九八一―八二年にかけてアメリカは、レーガノミックスによってもたらされたレーガン不況(Reagan Recession)に陥っていったのである」(Paul A. Samuelson, "Evaluating Reaganomics," *Challenge*, Nov.-Dec. 1984, p. 7)。当然、失業率も一〇%近くになり、株式市場も低迷をつづけた。

景気回復のメカニズム

それが、一九八三年以降の驚異的な景気回復に転じたのはどうしてであろうか。そのきっかけは、連邦準備制度によるファイン・チューニング(微調整)だといわれている。八二年の〝レーガン不況〟に直面して、ボルカーFRB議長は信用緩和へ向かって、

表III-19　アメリカの経済

	物価(%)		労働(%)		実質GNP(%)		
						寄与度	
	生産者前年比	消費者前年比	生産性前年比	失業率	経済成長率	国内需要	経常海外余剰
1980	16.2	13.5	2.3	7.1	−0.2	−1.8	+1.6
81	10.7	10.3	2.4	7.6	1.9	+2.1	−0.2
82	2.7	6.1	1.5	9.7	−2.5	−1.8	−0.7
83	1.1	3.2	6.8	9.6	3.6	+5.1	−1.5
84	2.2	4.3	3.9	7.5	6.8	+8.7	−1.9
85	−0.4	3.6	4.3	7.2	3.0	+3.7	−0.7
86	−3.6	1.8	3.7	7.0	2.9	+4.0	−1.1
87	2.6	3.7	2.4	6.2	2.9	+2.4	+0.5

＊　マーシャルのk＝マネーサプライ(M_1)÷国民総生産

表III-20　アメリカの民間住宅投資(対前年比)

	国内総固定資本形成	うち民間住宅
1980	2.4%	−12.0%
81	8.8	−0.2
82	−3.8	−14.1
83	7.3	45.1
84	16.4	18.8
85	6.5	4.4
86	4.7	15.4
87	3.0	4.5

(資料)　*Survey of Current Business* より計算

マネタリズムを微調整しはじめたのである。そのためウォール街はこれを歓迎し、債券価格を引き上げ、株価もこれに追随し、一九八二年八月になるとダウ・ジョーンズ株価指数は急騰し、名目金利も実質金利も低下したため、住宅建築業も息を吹きかえし、また自動車のような耐久消費財も売れはじめた。そして一九八二年一一月には、一九八一年の〝レーガン不況〟も終わりを告げ、アメリカ経済は今日(一九八八年)に至るまでの力強い経済回復、失業率の低下と、およそ四%以下の低い物価上昇率を達成するに至った。この驚異的な景気回復をダニエル・ベルは西ドイツの復興の奇跡になぞらえ、“Wirtschaftswunder”(経済の奇跡)と呼んでいる。

このような回復をもたらしたメカニズムは如何なるものであろうか。おそらく外生要因としては、一九八三年三月以来の石油価格の低落、食料品価格の上昇率の低下の二要因が影響したことはいうまでもないが、その外にダニエル・ベルは次の三つの理由をあげることができると考える(以下は前掲『財政赤字』三五―三七ページによっている)。

「第一の理由は、レーガン氏のとった積極的な財政政策と、ポール・ボルカー氏のとった金融引締め政策の素晴らしい組合わせというものであった」。

「第二の理由は、異常な政府借入れの水準にもかかわらず、民間設備投資をクラウド・アウトしなかった、ということである」。

「第三の理由は、賃金の抑制が効いていたということに求められる」。

これらの理由について、多少コメントを加えておこう。ダニエル・ベルは、レーガンは積極的な財政政策を採用したと述べているが、それはあくまでも結果であり、すでに指摘しておいたように、レーガノミックスには明らかに、大幅な減税は実施するが、それによってかえって赤字財政を克服し、均衡財政を達成できるという一見矛盾する命題が横たわっていた。決してベルのいう如く、はじめから積極的な財政政策を展開したのではない。客観的に見て積極的な財政政策が実現されたのは、むしろレーガンの期待を裏切った結果にほかならない。

供給の経済学　減税によって赤字財政を克服することができるという命題は「供給の経済学」の提唱するものであって、レーガノミックスを支える二大支柱(マネタリズムと「供給の経済学」)の一つである。

サプライサイダー(「供給の経済学」の提唱者)たちによると、まず個人所得税率の引下げによって、地下経済(税務当局によって捕捉されない所得)を日の当たる場所に引き出すことができると考える。減税によって脱税額を大幅に縮小することができるばかりか、人々の労働意欲を高め、その結果、供給される財の質と量が改善され、課税所得を増大させることになる。そして減税によって増大した可処分所得はもっぱら貯蓄に向けられ、限界貯蓄率を高め、投資機会をまつものと想定された。

さらに他方、法人税の減税分は、もともと減価償却期間の短縮による減価償却積立額の増大(内部資金の増大)であることから、企業の設備投資意欲が促進され、その結果雇用の拡大、労働生産性の上昇、経済の成長がはかられるものと考えられた。これら二つのルートを経て国民所得が増大し、したがって課税所得も増大するため、税率そのものが低下しても、なお税収は拡大することになる、というのが「供給の経済学」の楽観的なシナリオである。

ラッファー曲線

この関係を図示したのが、有名な「ラッファー曲線」(図Ⅲ-14)にほかならない。これは中華レストランでラッファー(A. B. Laffer)がたまたまメニューの裏に描いたというエピソードとともに伝えられている。あらゆる税率がゼロであるならば、総税収はゼロであり、また税率一〇〇%ですべてが収奪されてしまうならば、納税意欲、勤労意欲が阻害されるために、税収は再びゼロとなるであろう。これら二つの税収ゼロの点をむすぶ放物線を描くことができる。これがラッファー曲線にほかならない。このアーチの頂点Eのタテ軸、税率t_eにおいて税収は極大になるというのである。

この図によれば、アメリカの所得税率の現状がt_e率より高い水準aにあると前提すると、税率の引下げ(減税)によってt_eに近づく限り税収の増大が可能になることが、図によって明らかとなる。これがラッファー効果である。しかし、一九八〇年のアメリカの実際の税率がすでにt_e率を超えていたかどうかは全く論証されておらず、したがってその限りにおいて根拠のない前提に立った推論といわねばならないだろう。

ラッファー効果への疑問

さて以上の弱点を別にしても、このラッファー効果には二つの疑問が残されている。第一は、減税によって地下経済を地上に引き出し、労働意欲を高めることができるかどうか、である。ラッファー効果が想定しているのは、労働者は減税によって労働意欲を高め、それを貯蓄するという勤倹・貯蓄型の労働者像である。それはかつて、アメリカのフロンティア精神をになった独立自営的ミドルクラスの人間類型に近いものにほかならない。

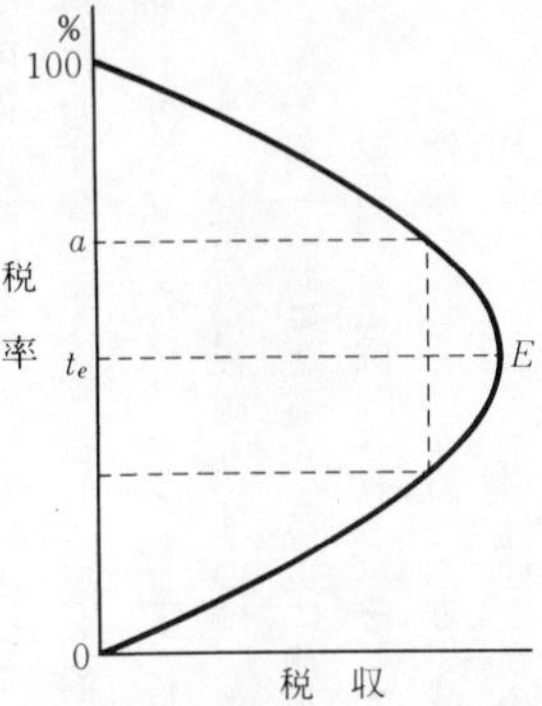

図III-14　ラッファー曲線

ところが、現在のアメリカ社会においては、このような労働者像を前提するわけにはいかない。とくにアメリカの労働者は、世界でもっとも高水準の賃金取得者である。ゆたかな労働者にとって、減税は労働意欲と貯蓄意欲を高める方向に作用するより、減税によって可処分所得が増大すれば、従来より短い労働時間で同一の手取り収入が得られることから、減税はかえってその所得を消費するためのレジャー・タイムの増大要求につながる可能性の方が高いだろう。また減税によって可処分所得が増加したとしても、恒常所得仮説*における恒常所得(permanent income)の増加を意味するため、限界貯蓄性向の上昇にむすびつかず、むしろ限界消費性向の上昇にむすびつくことになり、サプライサイダーの期待するようなメカニズム通りには動かないだろう(前掲『財政赤字』四六ページ)。

* 恒常所得仮説というのは、消費関数論争においてM・フリードマンによって提唱された見解である。これによると、現実に測定される所得は、定期的な収入部分の恒常所得と臨時的収入部分の変動所得とに区分される。そして現実の所得のうち恒常所得の占める割合が高ければ高いだけ、消費性向が高いというのである。減税の場合は、臨時収入の増大というより、恒常所得の増大とみなされるから、限界消費性向を高めることになるはずである。(事実限界消費性向は一九八三年以降上昇した。表Ⅲ-14を見よ。)

第二に、法人税の減税によって企業の手許に残る資金も、必ずしも設備投資に向けられるとは限らない。むしろアメリカのビジネス・スクールで教育を受けたアメリカの経営者の場合、ひたすらウォール街における自社株の株価の動きを最も重要な指標としており、業績の向上を株価の上昇によって表示しようとして、短期的な(四半期ごとの)利益極大化のみに全力投入するケースが多い。そのために減税による手許資金ももっぱら配当率引上げや(たとえば一九八一年九月三〇日に成立を見たデュポン社による石油会社コノコ社買収とか、同年一一月のUS

スチールによるマラソン石油の買収のような）MアンドA（企業買収・合併）のために充当されてしまい、長期的な近代化投資や技術革新のための設備投資への充当の方を副次的に考える〝短期的〟な経営方針を持続する可能性が高い。したがって、減税による企業内部資金の増加が設備投資、生産性の向上の方向に導かれる可能性は少ないと考えてよいだろう。

以上にみた弱点と疑問は、現実の動きとなってあらわれた。

赤字財政と金融引締め

大幅減税は果敢に実施されたが、レーガンの期待に反して、財政赤字は年を追って拡大し（表Ⅲ-19を見よ）、一九八二年には対前年八〇％増の一三〇七億ドルとなり、八三年には、政府部門の資金不足額（一八九九億ドル）がついに個人部門の純貯蓄額（一七八二億ドル）を超過するに至った（図Ⅲ-12「日米部門別資金過不足」を見よ）。ダニエル・ベルの指摘するように、積極的な財政政策といってよいであろう。しかしそれは、減税による赤字財政の克服を企図した「供給の経済学」の破綻そのものにほかならない。

また積極的な財政政策といっても、一九八四年以降歳出の中で比重を高めたのは、わずかに国防費と国債利子にすぎず、保健福祉費や教育・職業訓練費は低下している（表Ⅲ-21を見よ）。

P・ボルカーFRB議長の金融引締め政策のうち、一九八一―八二年のレーガン不況に直面して実施されたファイン・チューニングについてはすでに触れたが、積極的な赤字財政政策

表III-21　アメリカの歳出の構成比

単位：%

	国債利子	国防費	保健福祉費	教育・職業訓練費	復員軍人処理費
1979	11.0	23.5	43.0	5.7	4.0
80	11.4	23.6	43.8	5.3	3.6
81	12.4	24.2	45.0	4.3	3.4
82	11.7	26.2	43.7	3.4	3.3
83	11.3	26.6	45.1	3.2	3.1
84	13.5	26.8	45.0	3.1	3.0
85	13.9	27.2	43.8	3.0	2.8
86	13.5	27.6	43.5	3.0	2.7
87	13.7	27.9	44.9	2.9	2.6

（資料）　日銀『日本経済を中心とする国際比較統計』1988年

（レーガノミックスの失敗）と組み合わさって実施された金融引締め政策はきわめてユニークであって、レーガンの〝経済の奇跡〟に大きく貢献している。事実レーガンの公約、物価上昇率の半減を、石油価格の低下にも支えられて実現させた。一九六〇年代および七〇年代の英米のようにケインズ主義が支配し、政府の財政拡大政策と賃金コスト・プッシュが物価を引き上げていた時代には、金融当局はそれに適応してマネーサプライを増加させてきた。ところがボルカー議長は、「われわれが財政政策のあり方について口を差しはさまない以上、政府もまた、われわれに金融政策をどう運用すべきかについて口を差しはさむべきではない」（前掲『財政赤字』三五ページ）と述べ、金融政策における独立性に固執した。

しかし、このFRBのマネタリズムは、アメリカの長期金利(二〇年物国債利回り)を高める結果をもたらした。

外国からの資本流入

それではこの高金利にもかかわらず、一九八一―八二年のように財務省証券の発行が国内企業投資との間でクラウディング・アウトしなかったのはなぜであろうか(ダニエル・ベルの第二の理由)。それは一九八三年よりアメリカの貿易収支と経常収支が悪化しはじめ、高金利と強いドルのため、海外部門は八二年の資金流出から八三年の資金流入に逆転し、その流入額は八四年七〇七億ドル、八五年九九〇億ドル、そして八六年一二七五億ドルと激増していったからである(図Ⅲ-12を見よ)。そしてまた、それがドルの需要増からドル高をもたらし、そのドル高がさらに貿易収支の赤字と経常収支の赤字を激増させていったのである。ボルカー議長は、一九八四年七月、アメリカ議会において「直接的・間接的に、われわれの財政赤字は外国からの資本流入によって賄われている」と証言している(前掲訳書、三六ページ)。日本の資金がアメリカに流出しはじめたのも一九八三年以降である(図Ⅲ-3を見よ)。

かくて、レーガンによる構造的財政赤字とボルカーのマネタリズムの組合わせは、たしかにアメリカの驚異的な景気回復ないし〝経済の奇跡〟をもたらしたが、しかしその〝奇跡〟を実現させたものは、ほかでもない海外からの巨大な資本流入であった。まさに海外からの(後に明らかにするように日本からの）巨大な資本流入が、奇跡をファイナンスしたのである。レーガンの実施した大幅減税は期待通り貯蓄を生まず、かえって限界消費性向を高め、軍事支出の拡大とともにかえって次第に構造的財政赤字を拡大していった。この財政赤字は明らかに、マイナスの貯蓄を意味する。一方、個人部門の純貯蓄は八三年以降減少傾向を示しはじめ、ついに政府部門のマイナスの貯蓄の方が、個人部門のプラスの貯蓄を超過するに至る。この超過部分と民間投資用資金不足分の合計をファイナンスする（＝賄う）海外からの資金流入がなければ、到底〝経済の奇跡〟は実現しなかったに相違ない。しかし、今後もひきつづき外国資本がアメリカに流入しつづけることは可能であろうか。

まず、「はたしてそのような外国からの資本流入が突然シフトして破局に導かないかということである」（前掲訳書、五一ページ）。外国からの資本流入を伴わない巨大な貿易収支の赤字というものは、明らかにアメリカにとって、総需要の海外への大量流出にほかならない。したがって構造的財政赤字による高金利と総需要減による景気後退がアメリカを襲うからである。

悪循環

以上を要約しておこう。レーガンの場合、まずはじめに大幅減税ありき、である。

しかし、この減税措置と国防費の増大はレーガノミックスの期待を裏切ってアメリカに構造的財政赤字をもたらした。しかも減税という財政措置は、個人の「恒常所得」の増大を意味し、限界消費性向を引き上げてしまった。また企業は短期優先の経営方針から、法人税の減税による内部資金の増加分を、生産性上昇をはかる設備投資資金に充当するよりも、自社株の株価上昇のための配当率引上げや企業買収・合併(MアンドA)資金に振り向けた。それらはドル高と産業空洞化(産業空洞化については第IV部において触れる)とともに国際競争力を弱め、貿易収支の赤字と経常収支の赤字をもたらし、結局アメリカの構造的財政赤字は、外国の資金流入によってファイナンスされることとなった。

かくて海外からの借入れによって、アメリカは生産する以上に消費し、分不相応な生活をするに至ったのである。「本年(一九八七年)の実質可処分所得がわずかに〇・八%の伸びにとどまるのに対し、個人消費の方は二・二%の伸びになる。……家計は、所得が伸びていないことを全く黙殺している」という警告が発せられるほどである(Data Resources Inc., *Review of the U. S. Economy*, Oct. 1, 1987)。

しかしアメリカといえども、このような外国資本の流入を永久につづけることは不可能である。一国の対外純債務が増加すると、やがて対外負債に対する支払い収益額が、対外資産から生ずる受取り収益を超過するに至り、それがまた経常収支赤字増の要因になるからである。

表III-22によると、アメリカの場合、一九八〇年代に入って直接投資収益の黒字は一時減少

表III-22　アメリカ投資収益(ネット)の動き

単位：億ドル

	1980	1981	1982	1983	1984	1985	1986	1987
投資収益(ネット)	304	341	287	249	185	254	208	149
直接投資収益(ネット)	285	257	182	149	120	266	308	315
その他投資収益(ネット)	19	84	104	100	65	−12	−100	−167
民間部門(ネット)	119	216	246	230	210	146	63	7
政府部門(ネット)	−100	−132	−142	−130	−145	−158	−163	−174

(資料)　*Survey of Current Business*, 1981–88

傾向を見せたが、一九八五年以降、上昇傾向に転じている。しかし、その他の投資収益(ネット)の黒字の方は、反対に、八〇年代に入って増加傾向を示していたが、八三年以降急速に減少傾向に転じ、八五年からはマイナスの領域に足をふみ入れている。その傾向は、民間部門でも政府部門でも、ほぼ同様である。その結果、投資収益(ネット)全体の動きは、八〇年より八四年までの期間悪化し、八五年回復し、八五年以降八七年まで再び悪化しているが、なお必ずしもマイナス(赤字)を示すに至らず、プラスの領域(黒字)にとどまっている。

Ⅲ部1章(1)節で明らかにしたように、アメリカの対外純資産は、一九八五年以降マイナス

「アメリカにはもう時間は残されていない。……対外証券債務が仮借なく増加するにつれて、政策選択の余地は急速に縮小している。一つの選択は、旧来の債務返済拒否(repudiation)である。対外債務の支払い拒否は、アメリカにとって前例のないことではない。アメリカは一九世紀にイギリスに対して鉄道債の支払いを拒んだことがある。しかし、それは激しい金融混乱を引き起こし、〔ドルの暴落と――引用者〕大不況を招くことは明らかである。第二の選択は、インフレーションである。これは債務返済拒否ほど極端ではないが、アメリカ経済の健全性を損なうものであることは、一九七〇年代に経験した通りである。アメリカにとって現実的な政策選択は、国内需要の抑制をおいてほかにはない。ジョーダノ(Giordano)は、『対外債務の利子を支払うには輸入を削減させねばならない。……どのようにして内需を削減するかが大問題である』と述べている」。事実、「一九七〇年代末には、個人消費支出はGNPの六三%以下であったが、最近では約六六%を占めるようになっている。これは、個人消費支出が、まるまる一二〇〇億ドルも追加された計算になる。政府支出は、一九七九年にはGNPの一九%であったが、現在では二〇%を超えている。この増加分を合計すると、支出全体は四ポイントも増加したことになる。GNPの四%は、一六〇〇億ドルに相当し、ちょうど今年(一九八七年)の経常収支赤字の規模と一致する」(*Business Week*, Nov. 16, 1987, pp. 47–49)。そして支出の強制的削減は、そのまま生活水準の低下を意味するものであろう。これこそレーガノミックスの窮極の「つけ」にほかならない。

経常収支の地域別構成

最後に、アメリカの経常収支・貿易収支の地域別構成を見ておこう。アメリカの巨大な貿易収支の赤字と経常収支の赤字(双子の赤字の一つ)は、はたしてどの国によってもたらされたかを知るためである。

表Ⅲ-23が、それを明らかにしている。アメリカの経常収支は一九八二年以降、赤字をつづけているが、一九八二年までは、西ヨーロッパ、東欧、ラテンアメリカ、オーストラリア・ニュージーランド及び南アフリカの四地域に対するアメリカの経常収支は、なお黒字を保ってきたが、一九八三年になると、東欧とオーストラリア・ニュージーランド及び南アフリカの二地域に対する経常収支しか黒字をとどめず、その他の全地域に対して赤字を記録している。地域別経常収支赤字額のランキング(一九八六年)を示すと、日本、OPECその他アジア・アフリカ諸国、EC、ラテンアメリカ、カナダの順位になる。アメリカの経常収支の赤字のうち、約四〇%が、日本に対する赤字といってよい。これらの点については節を改めて論じよう。*

* ここで問題点を一つ挙げておこう。第Ⅲ部の冒頭(九五—九八ページ)、ストック分析の中で、アメリカの地域別国際貸借対照表(図Ⅲ-3)の分析及び地域別寄与率(表Ⅲ-1)から、アメリカへの最

大の資本流入先は日本より西ヨーロッパであることに注目しておいた。その事実と、フロー分析におけるアメリカの経常収支の赤字中、日本のシェアが四〇%に達し、ランキングの第一位を占めるという統計的事実とは、どのように両立するのであろうかという疑問である。一つは、いうまでもなく為替相場変動による評価増減であって、この点はすでに1章(3)節「〃ひよわな債権国〃日本」でも触れておいた。大蔵省の計算では、一九八六年の経常収支黒字額(八五八億ドル)に対して誤差脱漏(二五億ドル)を加え、さらに評価増減等による純資産減少額(三七八億ドル)を差し引いて、純資産増加額(五〇五億ドル)を計算している。

一方、アメリカの対外純資産・負債の地域別構成の日

の地域別内訳

単位：億ドル

1984	1985	1986
(−1141) −1065	(−1245) −1177	(−1562) −1414
(−152) −288	(−214) −274	(−286) −322
(−114) −225	(−174) −218	(−223)* −289
(−22) −37	(−34) −41	(−40) −106
(21) 21	(14) 14	(0) 3
(−162) −51	(−173) −86	(−160) −56
(−186) −138	(−153) −100	(−106) −75
(−370) −377	(−435) −453	(−546) −560
(22) 40	(14) 32	(12) 30
(−319) −293	(−301) −311	(−390) −427
(4) 12	(3) 5	(−) 2

る

Business, 1982–87

表 III-23　アメリカの経常収支・貿易収支

	1981	1982	1983
(アメリカの貿易収支合計) アメリカ経常収支合計	(−346) 63	(−364) −91	(−672) −466
西ヨーロッパ	(122) 91	(68) 24	(10) −64
E　C	(99) 79	(46) 18	(−4) −57
イギリス	(−3) 36	(−24) −10	(−20) −20
東　欧	(29) 34	(27) 30	(15) 18
カナダ	(−21) 70	(−92) −18	(−105) 5
ラテンアメリカ	(37) 203	(−54) 76	(−103) −83
日　本	(−158) −141	(−170) −158	(−196) −183
オーストラリア，ニュージーランド及び南アフリカ	(34) 65	(26) 42	(13) 26
OPEC**その他アジア・アフリカ諸国	(−323) −264	(−169) −121	(−185) −141
国際機関(非分類を含む)	(0) −14	(0) −5	(0) 5

* 1986年はEC 12カ国合計，その他はEC 10カ国合計
** エクアドルとベネズエラはラテンアメリカに入ってい
(資料) US Department of Commerce, *Survey of Current*

本の欄をみると、アメリカにおける日本の対外資産は、一九八六年五三七億ドルの増加であるが、日本におけるアメリカの資産は、銀行融資残の増加(三二一億ドル)によって、対前年三五一億ドルの増加を示している。その差額が図Ⅲ-3に示されたアメリカにおける日本の対外資産の対前年増加額(一八六億ドル)にほかならない。

しかしアメリカの統計には、アメリカにおける日本の対外資産額の細目、とくに銀行融資残高が明示されていない。この部分の統計に誤差が含まれている可能性は皆無とはいいがたい。

(3) 臨調路線の経済的帰結

「増税なき財政再建」

レーガノミックスについても、またサッチャーイズムの経済的帰結についても、有力なすぐれた研究がある。しかし日本の臨調路線については、本格的研究は少ない。本節も、バーグステンの〝ミラー・イメージ〟に関連する限りにおいてそれをとり上げるにすぎない。

臨調が、一九八一年三月、抜本的な行政改革の推進を目的にスタートしたことはよく知られている。臨調とは、まさに臨時行政調査会の略称にほかならない。(池田内閣当時の臨時行政調査会を第一次とみて、第二次臨調とも呼ばれている。）しかしその背景に、一九八〇年度末六七兆円にものぼる国債残高をかかえ、財政の再建を図ろうとする政府の強い意図が横たわっていたことも見逃すことはできない。臨調も財政再建という見地から、行財政の建て直しを図ることを現下の急務と考えて出発したはずである。そこで「増税なき予算編成」（第一次答申）をきめ、それを受けて政府（鈴木内閣）は、八月末提出の一九八二年度概算要求において「ゼロ・シーリングの基準」を達成した。第三次答申（八二年七月三〇日）においては、景気の低迷とそれによる巨額の税収不足に直面したにもかかわらず「増税なき財政再建」を「断固堅持すべき基本方針」であると強調し、「当面の財政再建に当たっては、何よりもまず歳出の徹底的削減によってこれを行なうべきであり、全体としての租税負担率の上昇をもたらすような税制上の新たな措置を基本的にはとらない」ことをうたった。

これに基づいて作成されたのが「財政の中期展望」（一九八〇―八四年度）で、これによると八四年度特例公債発行高ゼロを実現するために、八二年度五・三％、八三年度八・五％、八四年度一〇・六％に及ぶ歳出削減が必要だという計算になる。要するに、大幅な歳出削減こそが「増税なき財政再建」の主眼だということになる。

表 III-24　臨調答申による一般歳出の抑制

	1982	1983	1984	1985	1986
一般歳出要調整額	兆円 2.8	3.4	4.2	3.9	3.6
実施された伸び率	% 1.8	−0.0	−0.1	−0.0	−0.0
公共事業の抑制	—	—	億円 −1354	−1511	−1456

（資料）臨調・行革審 OB 会『臨調・行革審』1987 年，123 ページ

臨調の答申　一九八二年一一月に成立した中曾根内閣は、「行革内閣」と呼ばれ、「増税なき財政再建」の方針堅持を明示し、国防費、経済協力費と国債費を除く一般歳出は前年同額以下に抑制され、その方針は、中曾根内閣存続の間つづいた。臨時行政改革推進審議会（行革審。ポスト臨調機関として八三年七月発足）は、八四年度、八五年度、八六年度予算編成に対して事前に意見書を提出している。

公表された「臨時行政調査会答申の推進状況」によると、表Ⅲ-24のように、一九八二年より八六年までの一般歳出要調整額および実施された（マイナスの）伸び率が指示されている。ゼロ・シーリング予算とかマイナス・シーリング予算への要請が臨調の方針から出ていることがわかる。

臨調の答申は、単に「増税なき財政再建」に限っていない。①電電公社、専売公社の株式会社化、国鉄の分割民営化など、「公社、現業、特殊法人」にかんするもの、②医療費の総額抑制、生

産者米価の抑制的決定、国立大学授業料の値上げ、公共事業費の抑制など、「行政施策の在り方」、③省庁組織の見直しなど、「行政組織の在り方」、④「国と地方の職能分担等」、⑤「補助金等の総額抑制」、⑥「許認可制度の見直し」、⑦国家公務員の縮減など、「公務員制度の在り方」、⑧行政情報公開と管理、行政手続きの簡素化、事務処理の近代化、オンブズマンなど、「情報公開、行政手続き制度の在り方」等々、多岐にわたっている。しかし本節でとり上げるのは、主として「増税なき財政再建」問題に限られている。とくに公共事業の抑制、歳出抑制など内需引きしめによる緊縮財政の構造と、その経済的帰結について検討を加えたい。

主要歳出の構成比

表Ⅲ-25は、主要歳出項目の構成比を示している。臨調は、一般歳出総額の抑制を基本方針としたが、その中で日本の歳出構成比は一定の方向に移動していることがわかる。まず地方財政費は、その間ほぼ一定の割合を保ったが、顕著に割合を高めたものは、国債利子と防衛費の二つで、低めたものは、社会保障費と教育文化費の二つである。

防衛関係費については、臨調は「装備品使用、調達方法等の効率化、合理化に努め極力抑制を図る」と述べるとともに、基本的な考え方として、「当面我が国の保持すべき防衛力の規模については、『防衛計画の大綱』の水準の実現を目指しているが、その場合、特に質的な面の充実に留意しつつ、我が国の特性に沿った防衛力の整備に配慮すべきである」(前掲『臨調・行革審』一四三及び一八八ページ)と強調、歳出抑制の観点からは当然重視さるべき防衛費のGNP比一%枠の厳守については一言もふれていないのが注目されよう。臨調の「増税なき財政再建」路線とは、結局、一般歳出のゼロ・シーリングをキャッチフレーズにしながら、主として社会保障費と教育文化費の削減を企図したものであるといってよいだろう。

＊なお表Ⅲ-25の主要歳出項目には、社会事業費、経済協力費、中小企業対策費、食糧管理費等を含まないため、合計しても一〇〇%にならない。

租税負担率の上昇

次に、「増税なき財政再建」はどのような実績を示したかを、いくつかの経済指標によって検証しておこう。

まず表Ⅲ-26によって一九八〇—八六年の歳出増加率と名目成長率を比較すると、日本の場合は歳出増加率が名目成長率より一・八%低く、アメリカの場合は三・六%も高く、西ドイツの場合は一・三%低くなっている。日本の場合、明らかに「歳出の徹底的削減」を目指した臨調の方針が実現されている。しかし、表Ⅲ-25によると租税負担率(国

の負担率

単位：%

住宅投資÷総蓄積	租税負担率
21.4	22.2
19.9	23.0
19.9	23.3
19.0	23.7
18.0	24.3
17.6	24.5
18.1	25.5
…	…

表 III-25　日本の歳出構成比と財政赤字・住宅投資・租税

	主要歳出構成比					財政収支尻÷民間純貯蓄
	国債利子	防衛費	社会保障費	教育文化費	地方財政費	
1980	10.1	5.2	21.3	10.7	18.1	−34.9
81	11.9	5.3	21.3	10.4	18.6	−32.4
82	14.1	5.5	22.0	10.3	17.0	−36.5
83	15.1	5.5	20.8	9.6	15.2	−31.6
84	17.0	5.8	21.3	9.6	18.0	−29.7
85	18.2	6.0	20.9	9.2	18.3	−26.1
86	19.2	6.2	21.0	9.1	18.2	−24.9
87	20.1	6.5	20.6	9.0	18.9	…

（資料）　日銀『日本経済を中心とする国際比較統計』1988 年

表 III-26　日米独の成長率・歳出の伸び・輸出の伸び
(1980-86 年平均)

単位：％

	実質成長率*	寄与度		歳出増加率	輸出増加率	名目成長率	租税負担率**
		国内需要	経常海外余剰				
日　本	4.2	3.5	0.7	3.7	8.3	5.5	3.3
アメリカ	2.7	3.2	−0.5	8.8	−0.25	5.2	−1.3
西ドイツ	2.0	1.7	0.3	3.4	4.0	4.7	−1.9

*　1977-86 年平均増加率
**　1986 年の負担率から 80 年のそれを差し引いた値
（資料）　日銀『日本経済を中心とする国際比較統計』1988 年

税・地方税の国民所得に対する割合)は一九八〇年二二・二%から八六年二五・五%に三・三%だけ負担増になっている。「全体としての租税負担率の上昇をもたらすような税制上の新たな措置を基本的にとらない」という「増税なし」の方針の方は、新たな措置こそとられなかったが、租税負担率の上昇は抑制されていない。むしろ名目成長率が年率五・五%増加しているにもかかわらず、所得税率については是正措置をとらず、不変のまま放置したために、かえって租税負担率は上昇したのである。アメリカがその間、租税負担率を大きく低下させ、西ドイツも低下させているのと対照的である。

内需抑制・外需依存型

すでに見たように(表III-14)、日本の貯蓄性向は、一九七〇年代後半低下傾向にあったが、一九八二年以降、その動きをとどめ、一六%台の水準のまま持続されている。そのため、日本の実質成長率(一九七七—八六年平均増加率)四・二%のうち国内需要の寄与度は低く、三・五%(実質成長率全体の八三・三%にあたる)にすぎず、西ドイツのそれ(八五%)より低い。アメリカは、前節で詳しく見たように、日本と反対に国内需要の寄与度(三二・二%)は、実質成長率(二・七%)の一・一八五倍にも達しており、ここでも対照が顕著である。そのことは、また当然、輸出増加率において日本がとりわけ高く(八・三%)、ひとり名目成長率(五・五%)を越えており、アメリカの場合は、マイナス〇・二五%にすぎないとい

表III-27　消費支出・経常海外余剰のGNP構成比

単位：%

	民間・政府最終消費支出		経常海外余剰（輸出等－輸入等）		実質設備投資（製造業）*	
	日本	アメリカ	日本	アメリカ	日本	アメリカ
1980	68.7	80.2	－0.9	1.1	5.3	4.2
81	68.2	79.6	0.6	1.1	5.5	4.2
82	69.1	82.6	0.8	0.8	5.5	3.8
83	69.8	83.5	1.9	－0.1	5.4	3.6
84	68.9	82.0	3.0	－1.5	6.0	4.1
85	67.8	83.0	3.7	－2.0	6.6	4.4
86	67.5	83.8	4.4	－2.5	6.3	4.0
87	67.2	84.5	3.8	－2.7	…	3.9

＊ 実質GNP構成比

（資料）　日銀『日本経済を中心とする国際比較統計』1988年

う対照と首尾一貫している。

明らかに日本の場合、内需を抑制し、専ら外需（経常海外余剰）を求めて実質成長率を年平均四・二%に維持し、アメリカの場合は、反対に内需を拡大し、経常海外余剰をマイナスにしながらも、実質成長率を二・七%に保ったことを物語っている。

さらに、その動きを国民総生産（支出）統計によって確認しておこう（表III-27）。国民総支出のうち民間最終消費支出プラス政府最終消費支出の合計額が占める割合をみると、日本の場合一九八三年を境に減少傾向を示すのに対して、アメリカの場合、反対に一九八一年を境に増加傾向に転じている。他方「輸出と海外からの所得」から「輸入と海外への所得」を控除した経常海外余剰の占める割合の動きをみると、日本の場合は一九八一年以降増加傾向を示し、とくに八三年以降、その傾向が顕著であるのに対し、アメリカの場合、一九八一年以降減少傾向を示し、八四年以降その傾向がとくに顕著であって、きわめて対照的であることがわかる。日本の場合、一九八四年頃より、本格的な内需抑制、外需依存型の発展パターンを示しはじめたのである。臨調路線の一つの経済的帰結と断定してよいだろう。またその間、日本(製造業)の実質設備投資はむしろ対実質GNP比をいっそう高めており、その生産力はもっぱら外需に向けられたことになろう。

また、表Ⅲ-25の中の「財政収支尻の民間純貯蓄に対する割合」が、八二年以降、年を追って減少しているが、それは、個人部門の純貯蓄が、一貫して政府部門の赤字を超え、しかも純貯蓄の増加率が、政府部門(赤字)の増加率を優に超えているという関係を示している(図Ⅲ-12の棒グラフの動きに照応している)。また、表Ⅲ-25中「総蓄積の中に占める住宅投資の割合」は、一貫して減少傾向を示しているが、それは、アメリカの場合と反対に、個人消費支出の低下、内需抑制、個人部門の純貯蓄の増加傾向を裏書きするものに他なら

単位：億ドル，%

の輸出

アメリカ向け	構成比
319.1	24.5
388.8	25.7
365.5	26.4
433.4	29.5
604.3	35.6
666.8	37.6
819.3	38.7

表III-28　世界と日本の貿易

	世界の貿易額				日本から	
	全　額	うち日本の輸出	輸出構成比			
			日本	西ドイツ	先進工業国向け	構成比
1980	18955	1304	6.9	10.2	591.2	45.3
81	18541	1515	8.2	9.5	702.8	46.4
82	17189	1384	8.1	10.3	655.0	47.3
83	16862	1470	8.7	10.0	741.2	50.4
84	17895	1697	9.5	9.6	938.1	55.3
85	18088	1772	9.8	10.2	1020.4	57.6
86	19916	2117	10.6	12.2	1302.3	61.5

(資料)　IMF Direction of Trade

ない。

日本の輸出額のみ急増

この日本の本格的な「内需抑制・外需依存型発展パターン」を、一九八〇年代の世界貿易の動向の中に据えてみよう。表Ⅲ-28に明らかなように、世界全体の貿易額は、一九八〇年までは増加傾向にあったが、八一年、八二年、八三年と連続して大幅に低下し、一九八四年から再び上昇傾向に転じたが、一九八五年に至っても、一九八一年の水準に回復するに至っていない。それ(八二―八五年の低水準)は、主として産油国向け輸出と、非産油国向け輸出の急減によるもので、石油価格の低下と省エネ効果によるオイルダラーの枯渇が主要な要因である(拙著『世界経済をどう見るか』二〇六ページ以下を参照)。

ところが、そのような世界貿易の動きの中で、ひとり日本の輸出のみは、八三年以降急激な増加を示し、一九八四年以降は、過去のピーク（一九八一年）をはるかに超える水準を示している。その間、西ドイツは、なお一九八一年のピークに到達するに至っていない。西ドイツの輸出構成比はせいぜい横ばいであるが、日本の場合は、八三年以降そのシェアを増加させている。一九八一年以降、世界もＥＣもその輸出額を低下させているのに、ひとり日本の輸出額のみ急増しているのである。

それでは日本は、どの地域に向けた輸出を増大させたのであろうか。日本からの輸出先の構成比（表Ⅲ-28）を見ると、先進国向けが一貫して増加しており、反対にＯＰＥＣ向けは（一九八一年一五・一％から八五年七・七％まで）急減し、非産油途上国向けも（一九八一年三一・一％から八五年二九・四％に）低下させている。先進国向けの中でもアメリカ向けが激増しており、輸出額では二・五倍を超え、構成比でも一四・二ポイントの増加を示している。要するに、一九八三年以降の日本の輸出額の増大は、主としてアメリカ向けであったことが浮き彫りになってくる。

経常収支の対米黒字

図Ⅲ-15は、日本の経常収支の地域別構成（一九七八―八六年）を示している。また表Ⅲ-29は、図Ⅲ-15を描く基礎になった日本の経常収支の地域別内訳と、あわせて日本の貿易収支の地域別内訳を示している。これらによって、日本の経常収支尻（黒字）の急増が、どの国、地域によってもたらされたか明らかとなる。

まず、棒グラフの高さによって、一九八三年以降、経常収支の黒字が急増していることがわかる。それが、対外純資産増(図Ⅲ-9を見よ)をもたらした最大の原因であることはすでに見た。次にそれを一九七八年まで遡ってみると、七八年黒字(一六五億ドル)であった日本の経常収支尻が七九年赤字(八五億ドル)に転じ、一九八〇年にはさらにその赤字額(一〇七億ドル)を高めたが、八一年以降再び黒字(四八億ドル)に戻って、八六年に至っている。七九年、八〇年、赤字に転じたのは、いうまでもなく第二次石油ショックによるもので、赤字の大部分が、OPECその他向けであることがわかる。石油輸入国である日本の場合、OPECに対する経常収支の赤字および貿易収支の赤字は一九八六年になるまで消えないで残っている。

一方、アメリカに対する経常収支尻は一九七八年以降一貫して黒字を示しているが、それが急増しはじめたのが一九八四年以降である。一九八六年に至ると、OPECに対する収支尻も黒字に転じ、経常収支尻(黒字)全体に対する構成比は、アメリカ(六二・七%)、EC(一七・二%)、共産圏(八・六%)、OPECその他(六・四%)、その他のOECD諸国(三・七%)の順序になる。アメリカが抜群の高さである。

以上の日本の経常収支尻(黒字)は、誤差脱漏および評価損等の修正を加えると図Ⅲ-12の「日本の部門別資金過不足」中、海外部門の高さに照応していることは、すでに述べたのでここでは繰り返さない。

日本は悪くない？

以上の分析を経て、次のように述べることができる。〝ミラー・イメージ〟の具体化として示した、「日米部門別資金過不足」(図Ⅲ-12)のうち、日本側の部門別資金過不足の構造、とくに一九八三年以降の構造は、少なくとも臨調路線が実施に移されなかったならば、実現しなかったにちがいない、と。

一般には、日本の経常収支の大幅黒字の原因は、アメリカの構造的な財政赤字による高金利、ドル高のせいにする論調が支配的である。つまり「日本は悪くない。悪いのはアメリカだ」というわけである。しかし、日本の対米経常収支(貿易収支)の黒字が縮少していっても、アメリカの財政の赤字は残るし、アメリカの財政赤字が減少しても、それだけでは日本の経常収支の黒字は減少しない。アメリカのレーガノミックスと日本の臨調路線という国内問題が、たまたま一九八三年以降同時に経済的効果を発揮したまでのことである。アメリカのみならず、日本の側の政策にも問題があった。そればかりではない。端的にいえばアメリカの軍事支出を賄う巨額な赤字国債はあまりアメリカ国民の貯蓄によっては購入されないで(図Ⅲ-12表Ⅲ-13を見よ)、その大部分が海外資金によって購入されており、しかもそのうち約四四％までが日本国民の貯蓄によって(金融機関を経由して)消化されているというまぎれもない事実こそ〝ミラー・イメ

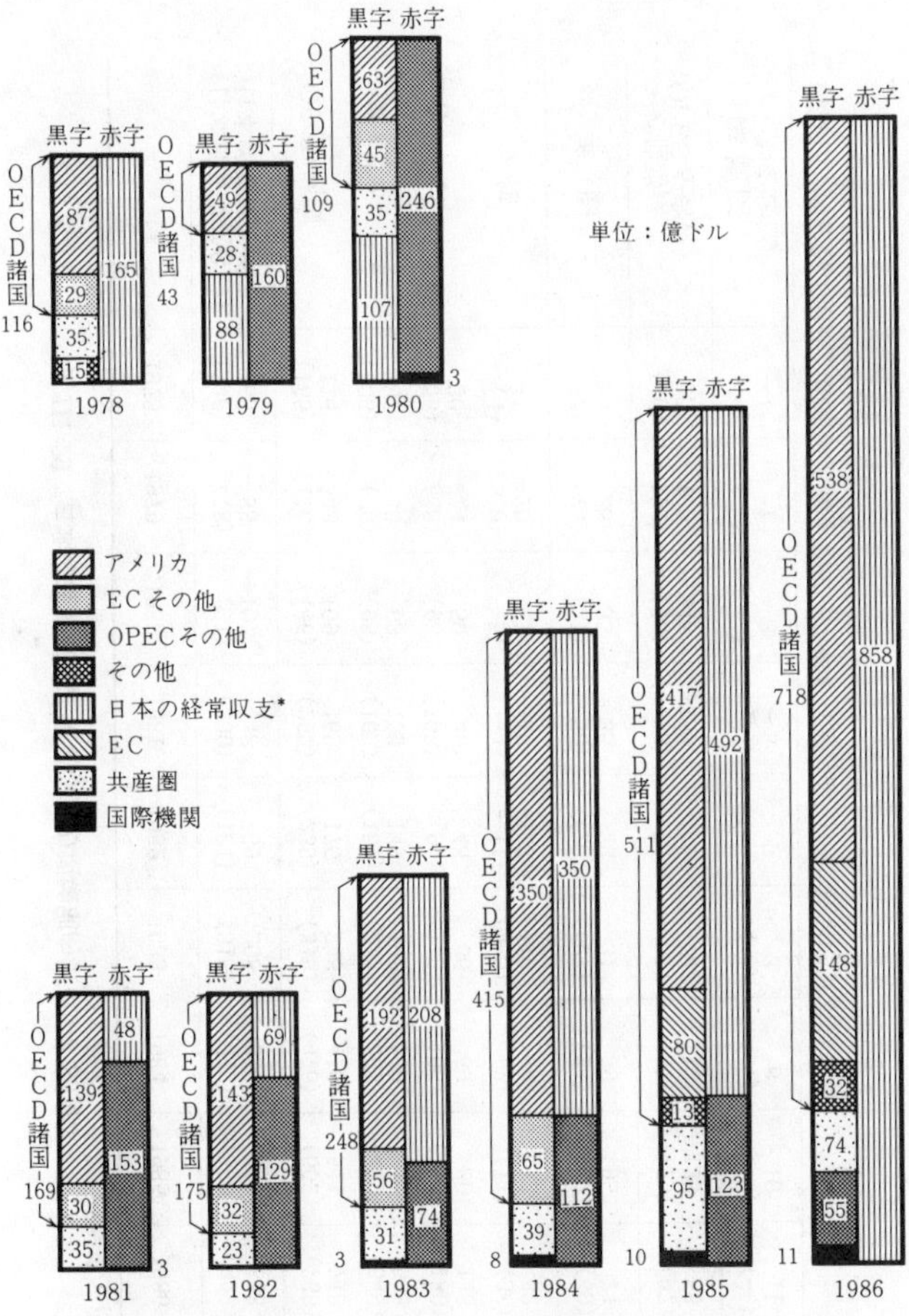

図 III-15　日本の経常収支地域別構成(1978-86 年)

*　その黒字額は赤字側に示され，その赤字額は黒字側の最下段に示されている

(資料)　大蔵省『財政金融統計月報』1982-87 年各 6 月号第Ⅲ表より作成

表 III-29　日本の経常収支・貿易収支の地域別内訳(1978-86年)

単位：億ドル

	1978	1979	1980	1981	1982	1983	1984	1985	1986	1986 構成比
(日本貿易収支合計) 日本経常収支合計	(246) 165	(18) −88	(21) −107	(200) 48	(181) 69	(315) 208	(442) 350	(560) 492	(928) 858	(100) 100
OECD 諸国	(165) 116	(115) 43	(186) 109	(267) 169	(239) 175	(319) 248	(476) 415	(552) 511	(763) 718	(82.2) 83.7
アメリカ	(106) 87	(76) 49	(98) 63	(163) 139	(151) 143	(212) 192	(367) 350	(430) 417	(549) 538	(59.2) 62.7
E　C	(55) 30	(48) 14	(93) 50	(108) 40	(99) 48	(110) 66	(106) 69	(110) 80	(180) 148	(19.4) 17.2
その他	(4) −1	(−9) −20	(−5) −5	(−4) −10	(−11) −17	(−3) −10	(2) −4	(11) 13	(34) 32	(3.7) 3.7
共産圏	(32) 35	(25) 28	(31) 35	(30) 35	(20) 23	(27) 31	(34) 39	(87) 95	(69) 74	(7.4) 8.6
その他諸国 (OPECを含む)	(49) 15	(−122) −160	(−196) −246	(−96) −153	(−78) −129	(−31) −74	(−67) −112	(−79) −123	(97) 55	(10.5) 6.4
国際機関 (非分類を含む)	(—) −1	(—) 1	(—) −3	(—) −3	(—) 0	(—) 3	(—) 8	(—) 10	(—) 11	(—) 1.3

(資料)　大蔵省『財政金融統計月報』1982-87年6月号.（　）内の数字は貿易収支

ージ〟の本質にほかならない。したがってヘルムート・シュミット西ドイツ前首相が早くから指摘していたように、「日本の(個人部門の)過大な貯蓄は、対外証券投資に向けるより、国内消費の拡大、社会資本充実、社会保障支出の三つのために充当した方がベターなのではなかったか」、「膨大な貿易黒字は日本政府の政策ミスである。にもかかわらず、日本人は景気は上向きと考え、世界経済を過大に評価している」というコメント(一九八五年九月二七日、日本火災保険における講演「今日の世界」『日経』一九八五年九月二八日)も根拠のないものではなかった。それらに十分耳をかたむけ、もっと早く日本経済の路線に修正を加える必要が十分あったと思われる。

3　為替レートの変動要因

(1)　為替理論の有効性

以上、ストック分析とフロー分析を通してドル安・円高の構造を明らかにすることができたので、本章では、G5プラザ合意以降の為替レートの変動要因について考察することにしよう。G5プラザ合意(一九八五年九月二二日)以降、暗黒の月曜日(一九八七年一〇月一九日)前後までの、東京外国為替市場における円レート(終値)の動きについては、すでに第Ⅱ部(3)節で分析した。

ドル安・円高現象

ここでもう一度、第Ⅱ部の図Ⅱ-1(三二ページ)を見てみよう。そこには、レーガン政権第一期はドル高への道を辿り、それがレーガン政権第二期に至ってドル安の方向に大転換を示した軌跡が鮮やかに描かれている。まさにアメリカの財務長官がドナルド・リーガンからジェームス・ベーカーに交代したときからドル安・円高現象が始まったことは、何人も疑わないだろう。その結果、表Ⅱ-1「円高・ドル安のスピード」に明らかなように、二年一ヵ月の間にドル・レートは約一〇〇円以上も円高に振れた。

為替学説　それでは、為替レートはどのように決定されるのであろうか。その際、とくに注目すべきは、すでに見たように、一九七〇年代のはじめ以降、為替レートをゆり動かす力は、もはやモノの貿易額にはなく、巨額な資金の流れそのものの方に移行しているという点である。

為替学説としては、古くからいくつかの有名な見解がある。一八六一年刊行のゴウシェンの『外国為替の理論』(G. J. Goschen, *The Theory of Foreign Exchange*, 1861. 三輪訳)で提唱された国際貸借説*とか、一九二二年刊行のカッセル著『一九一四年以後の貨幣と外国為替』(G. Cassel, *Money and Foreign Exchange after 1914*, 1922. 笠井訳)で展開された購買力平価説**とか、一九二七年刊行のアフタリヨン著『貨幣、物価、為替』(A. Aftalion, *Monnaie, prix et change*, 1927. 松岡訳)によって主張された為替心理説***などがある。

＊　もっとも古典的な為替理論。国際間の貸借は外国為替手形によって決済されなければならないが、外国為替市場においてこれらの為替手形の需要と供給が出合って、為替レートはその需要供給関係

によって決定される。つまり、為替レートを為替手形の価格と考え、それは手形の需要供給によって決定されるという考え方である。ゴウシェンの重要視したのは貿易収支である。それは一九世紀後半の国際経済関係を背景とすれば当然であった。この貿易差額が為替の需給を変動させるものと考えた。したがって、貿易差額説とも、貿易収支説ともいわれる。

** 為替レートは、一国の貨幣と外国の貨幣との交換比率であるが、なぜ外国の貨幣に対して自国の貨幣を提供するのかといえば、外国の商品・サービスに対する購買力を手に入れるために、その代償として、自国の商品・サービスに対する購買力を提供するからである。したがって内外貨幣の交換比率というのは、貨幣の購買力の比率にほかならない。さらに、貨幣の購買力は物価の逆数であるから、次式を得る。

$$\text{購買力平価} = \frac{\text{ドルの購買力}}{\text{円の購買力}} = \frac{\text{日本の物価水準}}{\text{アメリカの物価水準}} = \text{基準時点の為替レート}$$

$$\times \frac{\text{日本のインフレ率}}{\text{アメリカのインフレ率}} = \text{為替レート}$$

この比率が購買力平価である。為替レートは、長期的にはこの購買力平価に落ちつくはずであると考えるのが、購買力平価説である。なおカッセルは、貨幣の購買力をあらわす物価は貨幣の数量によって変動する、と考える貨幣数量説に立っている。

＊＊＊　人々が外国為替に対して需要を示すのは、外国通貨のもつ一般的購買力を手に入れたいという欲望よりは、むしろ特定の財・サービスに対する特殊な購買力への欲望である。あるいは対外債務の支払いや外国への資本逃避、ないし為替投機などの目的を満たすために外国為替を手に入れたいと考える。かくて、とくに第一次大戦後のフランスおよびヨーロッパの貨幣価値や為替相場の変動は、購買力平価説や貨幣数量説によるのではなく、人々の心理的要因によってのみ説明できると考え、予測の役割を重視した。

購買力平価説で説明不可能　しかし、国際貸借説も購買力平価説も、いずれも貿易収支を中心とする経常収支と為替レートとをむすびつける為替レート決定理論にすぎず、もはやモノ・サービスの貿易量(実需取引)ではなく、巨額な資金の流れ(金融取引・投機取引)そのものの方に為替レートを動かす力が移動してしまった、一九七〇年代以降の為替レートの変動を説明するのには有力とはいえない。

現に、OECD(経済協力開発機構)は、一九八七年現在、購買力平価を用いて加盟国(スイスとアイスランドを除く)の一人当り実質GDP(国内総生産)を表Ⅲ-30のように比較している。

この表Ⅲ-30によると、購買力平価で測った日本の一人当り実質GDPは、アメリカのそれ

表III-30　購買力平価による1人当りGDP
(1987年アメリカ=100)

	1人当り GDP
アメリカ	100
カナダ	93
ノルウェー	86
ルクセンブルク	82
スウェーデン	76
西ドイツ	74
デンマーク	73
日本	71

(資料)　OECD調べ

の七一%にすぎず、OECD加盟国中、第八位にすぎない。一方、為替レートでドル換算すると、一九八七年、日本の一人当りGNPは一万九八〇〇ドルで、アメリカの一万八四〇〇ドルより七%も高い。

それはOECDが計算に用いた一九八七年の購買力平価は、一ドル=二一三円にすぎないのに、為替レートの年平均値は一ドル=一四三円もの円高で、円の購買力は、為替レートの六七%のねうちしかもたないからである。このように大きなギャップがある以上、為替レートの現状を購買力平価説で説明することは困難であろう。それでは、G5プラザ合意以降の激しい円高・ドル安をどのように説明することができるのであろうか。

『通商白書』のあげる四要因

一九八七年度の『通商白書』は、次の四つの変動要因、①購買力平価要因、②経常収支要因、③金利差要因、④予想要因、について検討を加えている。

「まず(①)市場参加者の為替レートに対する長期的な予想の一つの基準になると考えられる長期均衡レートとしての購買力平価に関しては、我が国の物価がアメリカの物価に比べて相対的に安定していたことから、一貫して若干の円高要因となっている」。

「また(2)我が国の累積経常収支で表わされる外貨建て資産残高は、近年の巨額の経常収支黒字の継続により増加しており、総じて円高に寄与している」。

「これに対して、(3)内外金利差(アメリカの金利マイナス我が国の金利)は、八四年半ばまで、金利差の拡大傾向を反映して円安要因として働いた後、八五年半ばからは、金利差の縮小を反映してかなりの円高要因になったものと思われる」。

「さらに、(4)経常収支赤字体質の定着、経済成長率の低下等アメリカ経済のファンダメンタルズが変化する中で、プラザ合意を機に市場参加者の為替レート予想が大きく円高に変化したこと、及びプラザ合意以降の為替レート変動が外貨建て資産の保有に伴う為替リスクを再認識させたことは、外国為替市場に強い円高圧力をもたらしたものと考えられる」(六一―六二ページ)。

以上の変動要因分析のうちとくに第四の変動要因を重視し、「為替相場の決定理論の一つとして考えうるアセット(資産選択)・アプローチの立場」から検討を加える、と『通商白書』は断っている。

四要因の不十分性

ところで、(1)の長期均衡レートとしての購買力平価要因であるが、たしかに、日本の物価がアメリカの物価に比べて安定していることは、表Ⅲ-31からも明らかであ

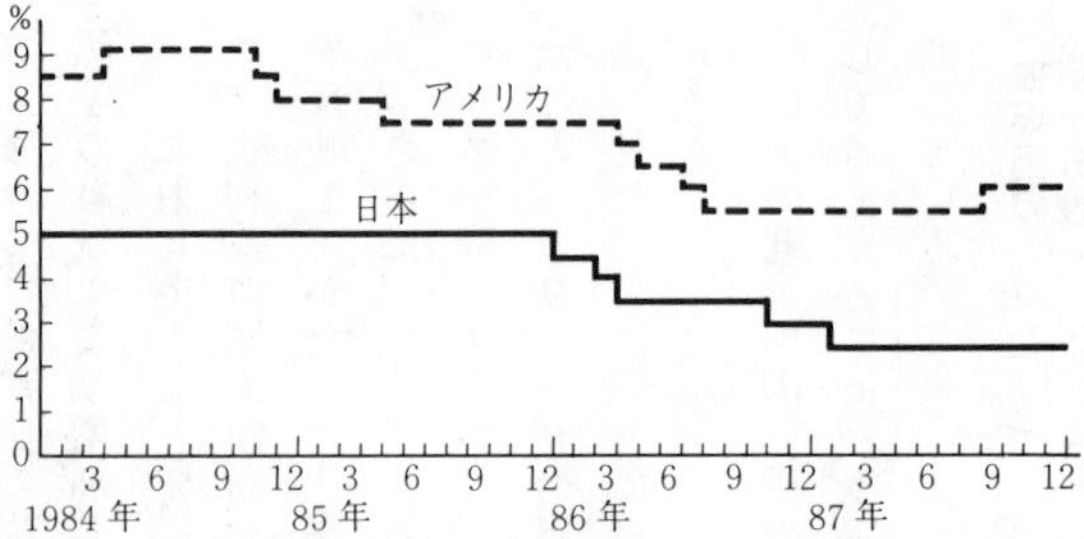

（資料） 日銀『日本経済を中心とする国際比較統計』1987 年

図 III-16 日米の公定歩合の推移

表 III-31 日本とアメリカの物価変化率

単位：%

		1984	1985	1986	1987
卸売物価	日本	−0.3	−1.1	−9.3	−3.7
	アメリカ	+2.4	−0.5	−2.9	+2.6
消費者物価	日本	+2.4	+2.0	+0.6	+0.0
	アメリカ	+4.3	+3.5	+2.0	+3.7

（資料） 日銀『日本経済を中心とする国際比較統計』1987 年

るが、しかし、一九八四年以降八七年までの物価の比較によっては、到底、プラザ合意以降二年一ヵ月間の約一〇〇円(四二%)のドル安・円高を説明するのに不十分であろう。

②外貨建対外資産残高が円レートに影響したことは、事実である。とくに、アメリカの債務国化と日本の債権国化が円高・ドル安に大きく寄与していることは、疑う余地もないが、すでに日本の対外資産(七四三・五億ドル)がアメリカの対外資産(三六六億ドル)を超過していた一九八四年末までは、それ

は必ずしも為替レートに反映せず、むしろドル高・円安に推移していたことはよく知られている。

③内外金利差が八五年五月以降縮小したのはたしかであるが、一方的に縮小しつづけたのではなく、八六年の三―四月には一時的に拡大し、更に八七年二月以降はむしろ拡大傾向すら示している(図Ⅲ-16を見よ。なお、長期金利差についてもほぼ同様である)。

④プラザ合意以降、為替レートが協調介入や口先介入によって円高・ドル安の方向に強引に誘導されたことは事実である。しかし、為替リスクの再認識が円高圧力になったというのは、必ずしも事実とはいえない。表Ⅲ-11「対外証券投資」に明らかなように、アメリカにおける株式取得額と処分額の差、すなわち純取得額は、一九八五年一年間で九・九億ドルであったが、円高・ドル安が顕著になりはじめた八六年は年間七〇・五億ドル、八七年も年一六八・七億ドルに達しているし、ドル建て公社債等の純取得額も、八五年に年間五三七・二億ドルであったが、八六年は年間九三〇・二億ドル、八七年は年間七三一・六億ドルとむしろ急増している。これらは、円高で為替リスクを意識してからも、ドル・ドル型債券投資などでリスクを一部分ヘッジしながらなおドル建て長期証券を購入しつづけたことを物語っている。

それでは、G5プラザ合意以降の激しい円レートの上昇はどのように説明できるのであろうか。ここでは『通商白書』と同様、アセット・アプローチを採用しながら考察を進めよう。アセット・アプローチが重視するのは、為替市場も株式市場と同様、一定量のストックとして存在している資産を取引きする資産市場であるという点である。為替レートも株価の決定と同じで、ポートフォリオ・セレクション(資産選択)の一環として形成されると考える。その場合、株価決定の場合と同様、その資産価値(為替レートあるいは株価)は将来どれだけ変化するだろうかという予想要因(為替レートの予想変化率または株価の予想変化率)が(短期的にみて)決定的な役割を果たすことになる。ケインズは、株式市場における(職業的投資家にみられる)この強気・弱気、楽観・悲観の波を『雇用・利子および貨幣の一般理論』の中で、美人投票のアナロジーをもって説明している。

美人投票のアナロジー

「投票者が一〇〇枚の写真のうちから最も容貌の美しい六人を選択し、その選択が投票者全体の平均的な好みに最も近かった者に賞品が与えられる新聞投票に見立ててもよいだろう。この場合には各投票者は彼自身が最も美しいと思う容貌を選ぶのではなく、他の投票者の好みに最もよく合うであろうと思う容貌を選択しなければならないのであって、しかもどの投票者もすべてこの同じ見方でこの問題を眺めているのである。それは一人の人物が自己の最善の判断に立って、真に最も美しい容貌を選ぶケースでもなければ、また平均的な意見が真実最も美しいと考える容貌で選択するケースでもないのである。われわれは平均的な意見がどのような平均的意見を期待するかを予見するだけである」(J. M. Keynes, *General Theory of Employment, Interest and Money*, 1936, p. 156)。ケインズは、このような予見によって動かされる株式市場を通じてしか投資行為が行なわれないならば、「社会的にもっとも有益な投資政策が、最も利益の多い(キャピタルゲインの多い――引用者)投資政策と一致するという明白な証拠は経験からは得られない」と批判している。

ケインズの指摘は〝職業的投資〟についてのアナロジーであったが、現在の大衆投資家の選択も、美人投票の投票者と同じである。この場合、大衆投資家にとって、自己以外の多数の他人の平均的な意見がどのような平均的意見を期待するかをどのようにして予見するかといえば、現在の株式取引の慣行によると、普通は証券会社のリーダーシップに依存しているケースがほとんどであろう。それは、あたかも大衆社会におけるリーダーの役割を思いおこさせるものである。ケインズは、株式市場では市民社会における自立した個人の選択(美人投票のケースでは、自分自身が最も美しいと考える容貌の選択)は働かず、かりにそれをあえて実行に移したとしても何一つ自己にとって有利な結果をもたらすことはないという点を証明したのである。

株式市場についていえば、自分以外の他の多数の大衆投資家の選択がうまく自分の選択と一致しない限り、たった一人の購入だけでは株価の上昇は実現しないからである。したがってむしろ証券会社のリーダーシップに従っていた方が、無難な成果をもたらすことになる。しかしその選択は、ケインズの指摘する通り、必ずしも社会的にもっとも有益な選択となるという保証はないのである。

ベーカーらの口先介入

外国為替市場でも、このようなアナロジーは妥当するにちがいない。平均的な意見が、円高・ドル安の方向が平均的意見となると予見した時に、各為替ディーラーたちの判断はきまるのであろう。それでは、この場合、各ディーラーたちは、自己以外の多数の他のディーラーたちの平均的意見がいったい如何なる平均的意見を期待するかをどのようにして予見するのであろうか。G5プラザ合意以降、「暗黒の月曜日」までに限定すると、すでに第Ⅱ部(5)節「口先介入と政治的配慮」において詳細に見たように、ベーカー財務長官およびレーガン大統領らアメリカ政府当局の強力な口先介入がリーダーシップを発揮したことは疑う余地もないであろう。

この二年一カ月間の為替レートは、かれらの口先介入のリーダーシップに従って、ある時は円高・ドル安に、時には反対に円安・ドル高に動いたのである。またそのような仕組みを国際的に構築して、異常に高かったドル・レートを一挙にドル安方向に誘導していくことが、まさに一九八五年九月二二日のG5プラザ合意に寄せたベーカー財務長官の戦略であったにちがいない。図Ⅱ-3「円レートの動き」は、そのことを実証している。

その間にみられた各国の協調介入は、ベーカー長官の意図通り、ドル安方向への協調介入に関する限り、口先介入をより有効に機能させる力となったが、あまりに激しすぎるドル安に対して逆方向（ドル高方向）への協調介入は、（政治的配慮のケースを除き）すべて、せいぜい「乱高下に対するスムージング・オペレーション（緩和措置）の域を出ない」か、「ジェスチャーとしての介入」にすぎなかった。

しかし、外国為替市場に対するベーカー長官による口先介入の効力は、少なくとも「暗黒の月曜日」（一九八七年一〇月一九日）を境に、急速に失われていった。それは、「暗黒の月曜日」の株式市場の暴落が、ベーカー戦略に対する〝市場の反乱〟である以上、いわば当然の帰結であった。それ以降は、市場は、もっぱら毎月半ばに発表される二カ月前のアメリカ貿易収支の発表、アメリカの物価の動き、GNPなど、ファンダメンタルズに反応して大きくゆれるようになったように思われる。*

＊　一九八八年四月一四日、ニューヨーク外為市場終値の円相場、二円六〇銭の上昇によるニューヨ

ーク株式市場のダウ一〇一・四六ドルの低落も、その日アメリカ商務省から発表された二月の貿易赤字が、予想に反して八七年一一月(一七六億三一〇〇万ドル)以来最大の赤字一三八億二八一〇万ドル(対前月一一・二%増)を示したことが直接の要因であった。またこの日、ニューヨークでは三〇年物国債の価格は低下し、利回りが八・八六%に上昇、その後九%台まで上昇している。いわゆるドル安・株安・証券安の〝トリプル安〟であった(しかしこの事実を見て為替レート決定にかんする貿易収支説(国際貸借説)の有効性が実証されたと考えることはできない。なぜならば、四月一四日に発表されたのは二ヵ月前の二月の貿易収支であって、そのモノの取引の手形決済はすでに完了しているからである。それにもかかわらず四月一四日の為替レートがドル安に動いたのは、二ヵ月前の貿易赤字の増大によって、ドル高是正後のアメリカ経済の将来の姿を悲観的に予想したからにほかならない)。

二年一ヵ月間世界の外為市場をリードしたベーカー戦略に従ったG5プラザ合意参加国の判断が、社会的に有益な選択であったかどうかを判定する基準の少なくとも一つは、おそらく、一ドル約一〇〇円に及ぶ激しい円高・ドル安によって、民主党提出の包括貿易法案の成立を阻止しうるかどうかにあったことはまちがいだろう。*

＊しかし大幅な円高・ドル安を実現した後に、一九八八年八月三日、アメリカ上院は、スーパー三

〇一条など保護主義的条項を含む包括貿易法案を八五対一一の圧倒的多数をもって可決した。今回はレーガン大統領も日本政府の懇請にもかかわらず、ついに拒否権を発動するに至らなかった。

(2)　為替レートの変動と株価の変動

株価大暴落との連動

暗黒の月曜日(一九八七年一〇月一九日)、ニューヨーク株式市場でダウ五〇八・三二ドルに及ぶ大暴落があったが、当日の外為市場には、その影響がほとんど現われず、一ドル＝一四〇円台の前半を推移していた。しかし、アナザー・ブラックマンデー(一〇月二六日)にはちがっていた。東京外為市場終値は、前週末より二円三〇銭も円高・ドル安の一四一円八五銭になり、同時に、東京株式市場では一〇九六円二二銭の低落となった。ドル安と株式下落のはじめての連動である。

すでに詳しく見たように、暗黒の月曜日も、西ドイツの短期金利引上げ措置をめぐる西ドイツ・ペール連銀総裁とアメリカ・ベーカー財務長官の間にみられた露骨な不協和音が、直接的契機の一つになっている。これは必ずしも実現を見たわけでないが、その不協和音がやがて為替レートに影響し、マルク高・ドル安の方向に動き、ニューヨーク証券市場における外人による大量国債売りあるいは海外からのアメリカ株投資の敬遠を惹きおこすのではないかという懸念が引き金になっていたことは知られている(I「「暗黒の月曜日」前後」一八ページ参照)。

前節の注で見たように、八八年四月一四日以降の〝トリプル安〟は、暗黒の月曜日以来の一つの注目すべき動きともいってよいだろう。このような株価、証券価格と為替レートとの連動は、なぜ頻繁に生ずるのであろうか。

外国人取引額の増大

表III-32「アメリカ株式取引額中外国人購買額の動き」は、最近のアメリカ株式市場における外人買いの動きを、一九八〇年から一九八七年まで国別に示している。スイスとフランスと西ドイツの構成比が低下傾向を示す一方、日本とイギリスの上昇傾向が顕著である。ニューヨーク取引所取引額中、外国人購買額総計の占める割合も、一九八六年から上昇を示している。このような外国人取引額の増大を背景にしなければ、株価の動きと為替レートの動きの連動は理解できないであろう。

表III-33は、アメリカ財務証券等(marketable treasury bond and notes)の取引額中に占める外国人購買額の動きを示している。ここでは、とりわけ日本の構成比が一九八五―八六年と急増し、八六年には全体の三〇・四%、八七年には実に四四・三%にも達している。もしドル安・円高が進み、日本の機関投資家(生保・信託等)が為替リスク(表III-16を見よ)を回避するために

表 III-32　アメリカ株式取引額中外国人購買額の動き

単位：100 万ドル，(　)内%

	フランス	西ドイツ	オランダ	スイス	イギリス	日本	外国人購買額(A)	ニューヨーク取引所取引額(B)	(A)/(B) %
1980	2,726 (6.8)	2,667 (6.6)	968 (2.4)	9,125 (22.6)	7,458 (18.5)	872 (2.2)	40,290 (100.0)	382,447	10.5
81	3,204 (7.9)	1,927 (4.7)	1,098 (2.7)	7,577 (18.6)	7,831 (19.2)	780 (1.9)	40,686 (100.0)	396,070	10.3
82	2,439 (5.8)	1,857 (4.4)	1,014 (2.4)	6,820 (16.3)	10,950 (26.1)	996 (2.4)	41,881 (100.0)	495,130	8.5
83	3,946 (5.7)	4,290 (6.1)	1,960 (2.8)	13,758 (19.7)	15,502 (22.2)	1,765 (2.5)	69,770 (100.0)	775,337	9.0
84	2,626 (4.4)	3,056 (5.1)	1,551 (2.6)	9,255 (15.5)	13,419 (22.4)	1,299 (2.2)	59,844 (100.0)	773,426	7.7
85	2,803 (3.4)	3,433 (4.2)	1,916 (2.3)	10,785 (13.2)	19,643 (24.0)	4,043 (4.9)	81,995 (100.0)	980,772	8.4
86	5,020 (3.4)	5,166 (3.5)	3,591 (2.4)	19,271 (13.0)	34,717 (23.4)	15,104 (10.2)	148,114 (100.0)	1,388,819	10.7
87	10,414 (4.2)	8,065 (3.2)	6,073 (2.4)	29,166 (11.7)	52,151 (21.0)	56,958 (22.9)	248,887 (100.0)	1,888,707	13.2

(資料)　*Treasury Bulletin, Fact Book* (NYSE)

表 III-33　アメリカ財務証券等取引額中外国人購買額の動き

単位：100万ドル，( )内%

	フランス	西ドイツ	オランダ	スイス	イギリス	日　本	外国人購買額
1980	449 (0.9)	2,036 (4.0)	1,688 (3.3)	638 (1.2)	16,983 (33.2)	2,454 (4.8)	51,170 (100.0)
81	1,034 (1.5)	5,714 (8.4)	1,737 (2.5)	674 (1.0)	14,134 (20.7)	5,718 (8.4)	68,407 (100.0)
82	1,477 (1.5)	9,778 (9.9)	3,907 (3.9)	2,417 (2.4)	18,529 (18.7)	6,791 (6.9)	98,942 (100.0)
83	2,414 (1.9)	8,534 (6.9)	4,752 (3.7)	2,926 (2.3)	22,901 (17.7)	9,276 (7.2)	129,681 (100.0)
84	3,989 (1.7)	14,114 (6.0)	5,266 (2.2)	4,674 (12.0)	46,564 (19.7)	18,570 (7.9)	236,336 (100.0)
85	5,792 (1.2)	16,440 (3.3)	5,424 (1.1)	9,612 (1.9)	93,061 (18.7)	95,207 (19.1)	498,587 (100.0)
86	9,378 (0.9)	33,426 (3.1)	11,026 (1.0)	23,475 (2.2)	224,146 (20.7)	329,615 (30.4)	1,084,326 (100.0)
87	10,041 (0.8)	50,374 (4.2)	17,332 (1.5)	14,929 (1.3)	302,764 (25.4)	527,351 (44.3)	1,189,829 (100.0)

（資料）　*Treasury Bulletin*

手持ち財務証券を手放す決意を示すならば、アメリカ国債の価格は低落し、利回りを急上昇させることは想像に難くない。

（3）為替レートと〝安全〟利子率

利子の安全率

〝安全〟利子率（“safe” rate of interest）という概念は、ケインズのものである。手持ち現金（流動性）を手放して有価証券を購入する場合に、利子率が将来何％変動（上昇）すると予想された場合に、自己の手持ち資産である流動性を手放して有価証券形態にとりかえるケースと、流動性を手放さないで貨幣形態のまま資産を保有するケースとの間で全く損得の差別がないか？　いいかえると、自己の資産を貨幣形態で保有しても証券形態で保有してもインディファレント（無差別）な選択になるような予想利子率の変化率（上昇率）は何％であるかを問い、そのような利子率のことを、ケインズは「利子の安全率」と呼んでいる。

具体的な例で説明しておこう。現時点において、手許にそれぞれ一定額（たとえば一〇〇ドル）の貨幣を保有している個人投資家Ａ・ＢそしてＣが存在して、額面一〇〇ドル、確定利子率一〇%、二年満期の国債が市場に提供されて、これ以外に有利な証券は存在しないものとし、このような条件においてA・B・Cは自らの保有する貨幣をその国債購入に投ずるかどうかの選択に立っているものと仮定しよう。いうまでもなくA・B・Cは、貨幣形態のまま保有しているかぎり、一年経過しても利子を入手できないから、当然A・B・C三人の個人投資家はいずれも例外なくこの国債を購入するにちがいないであろうと一見思われるかもしれないが、事実はそう単純ではない。なぜならば、一年後の利子率の水準が不確定であるうえ、またA・B・C各〻の一年後における利子率の見込みがそれぞれ異なっているからである。

いまAは、一年後に支配するであろう利子率を一〇・五%であると予想し、Bはそれを一二%であると予想し、Cは一一%であると予想したとしよう。このことは、一年後この国債の市場価格を、Aは九五ドル(≒10ドル÷10.5%)と予想し、Bは八三・三ドル(≒10ドル÷12%)と予想し、Cはこれを九〇ドル(≒10ドル÷11%)と予想していることにほかならない。

ところでこの確定利付の国債は、一年後に額面一〇〇ドルにつき一〇ドルの利子支払いを確約している。かくて一年後利子を受け取った後この国債を売りに出すと、Aにとっては一年後一〇五ドルの貨幣を入手し、Bにとっては一年後九三・三ドルの貨幣、そしてCにとっては一年後ちょうど一〇〇ドルの貨幣を入手しうることを意味している。当然Aは現時点でこの国債投資を選択し、Bはそれを断念して貨幣形態のまま保有する方を選択し、Cにとっては自らの資産を一年間貨幣形態において保有しても、国債形態において保有しても無差別(インディファレント)であるということになる。Cのように資産選択が無差別であるケースの利子率の変化(一%)を「利子の安全率」という。

もう少し別の側面から説明しておこう。一年後に、利子率が上昇すると予想する者は、一年後の国債の市場価格が必ず額面割れになると予想しているにちがいないから、このように予想する者は誰であっても、現時点で国債を一〇〇ドルで購入しないかというと、必ずしもそうではない。一年後には一年間の確定利子額(一〇ドル)が入手できるからである。この受取り利子額を加えて、一年後、元の投資額(一〇〇ドル)をちょうど貨幣で回収でき、損得のないような利子率の上昇分が〝安全〟利子率にほかならない。要するに一年後に出資額(一〇〇ドル)を安全に回収することのできる利子率上昇分のことである。この安全率は、投資家の予想に際して、きわめて重要な判断指標といってよいだろう。なぜならば、〝安全〟利子率より大きい利子率の上昇を予想する人は、この国債に対して貨幣一〇〇ドルを投下しない方が安全だからである。

投資の安定性と円高

この「利子の安全率」は、一般的にはどのように示されるだろうか。いまiを利子率、Δiを利子率の予想増加分、dを確定利子額とすると、貨幣形態と債権形態の間で選択上無差別となるための利子率の増加分は次の如くなろう。

$$\frac{d}{i}-\frac{d}{i+\Delta i}=d \quad \therefore \quad \Delta i \fallingdotseq i^2 \quad \cdots\cdots (\mathrm{i})$$

①$\Delta i < i^2$ならば国債形態の資産選択の方が有利, ②$\Delta i > i^2$ならば貨幣形態の方が有利である

次に、もしCが日本の投資家であった場合には、為替レートの問題が重要となる。一年間為替レートが不変であれば、現在一ドル＝一五〇円のレートで、一万五〇〇〇円の円貨を投入すれば、一年後日本の投資家Cは一万五〇〇〇円の円貨を入手しうるであろう。しかし、もし日本の投資家Cが一年間に為替レートは円高・ドル安の方向に変化すると予想しているものとすると、ドル建て国債を購入する場合の〝安全率〟はどのように計算されるであろうか。

いまiを利子率、Δiを利子率の予想増加分、dを確定利子額、Rを一ドルあたりの円レート、$r\left(=\frac{\Delta R}{R}\right)$を円レートの予想変化率とすると、日本の投資家が一万五〇〇〇円を円表示の貨幣形態のまま一年間保有する場合と、ドル建て国債を購入して一年後、それを円貨に交換した場合の資産選択が相互に無差別となるための条件は、次の如くなる。

$$\frac{dR}{i}-\frac{dR(1+r)}{i+\Delta i}=dR(1+r) \quad \therefore \quad \Delta i \fallingdotseq i(i+r) \quad \cdots\cdots (\mathrm{ii})$$

①$\Delta i < i(i+r)$ ならばドル建て国債形態の方が有利, ②$\Delta i > i(i+r)$ ならば貨幣形態の方が有利である

もし $r=0$ ならば、(ii)式は(i)式に還元されてしまう。また $i+r=0$ ならば、現行利子率が一年間安定していない限り、安全率を保つことはできない。r は円レートの変化率であるが、$r<0$ ならば円高、反対に $r>0$ ならば円安である。いま $r=0$ であれば国債形態を選択したであろう前述の投資家Aのケースについて考えてみよう。この投資家Aにとっても、もし一年間に円相場が五%だけ円高の方向に移動すると予想されれば、国債形態と貨幣形態との間の資産選択は無差別となり(0.5%＝10%(10%－5%))、またもし円高が六%に達すると、貨幣形態を選ぶことになるであろう。

かくて一般的にいって、利子率の安全率は、利子率が低下すればするほど急速に低下するばかりでなく、円高がそれを加速することが明らかとなる。

もし現行利子率よりも(一ドル当り)円レートの予想上昇率の方が高くなる場合には、〝安全率〟はマイナスとなり、ドル建て国債への投資は不可能になるばかりか、手持ち国債の売却を余儀なくせざるを得なくなろう。それは、国債利回りの急速な上昇にほかならない。これこそ、まさに「暗黒の月曜日」の前夜にみられたケースである(本書一八ページの注を見よ)。残念なが

ら上述の本章の分析によれば、今後このようなケースが二度と出現しないという保障は確立するに至っていないというのが現状である。

アメリカ経済の脆弱化

アメリカ経済の病状としては、双子の赤字がしばしば指摘される。しかしそれにとどまらない。ここでは、とくに利子率との関連において、全体としてのアメリカ経済の病状について触れておこう。すでにそれに関連して、「要するに、アメリカは、個人も企業も政府もモノをつくる以上にカネを使い、能力以上の暮らしをしている」(ボルカー)という鋭い診断がくだされている(一四三ページを参照)。かつて「政府の財政も赤字、民間企業も赤字、国民の家計も赤字」というキャッチフレーズによって敗戦直後の日本経済を分析したのは、都留重人の手になる第一次『経済白書』(一九四七年)である。これは戦後日本の〃竹の子〃生活の病状について診断をくだしたものであったが、同じキャッチフレーズが、最近のアメリカ経済の場合には、反対にアメリカが能力以上のあまりにも豊かな生活を営むことを可能にしている奇妙なメカニズムに対して指摘されている。アメリカ国内経済を構成する主要三部門がいずれも資金不足であるということは、いずれの部門においても年々債務が累積しているということにほかならない。そして国内の主要三部門がすべて債務超過だということは、究極の貸手はすべて海外にあり、対外的に純債務国化するのは、いわば当然の帰結だということになる。

国内主要三部門の赤字のうち、財政の赤字についてはすでに触れた(一六五ページの表Ⅲ-19を見よ)。家計の赤字は、貯蓄率の低下(一四五ページ、表Ⅲ-14を見よ)と消費者ローンの増大によって明らかとなる。消費者ローンの対前年伸び率を見ると、一九八二年三・三%、八三年一一・八%、八四年二三・五%、八五年一三・四%、八六年三〇・二%であって、八三年以降激増して

表 III-34　企業資金調達の内訳(構成比)の国際比較

単位：%

	アメリカ				日本				西ドイツ			
	自己資金	他人資金			自己資金	他人資金			自己資金	他人資金		
		計	うち社債	借入金		計	うち社債	借入金		計	うち社債	借入金
1982年	73.5	26.5	13.2	5.5	92.2	7.8	8.2	11.3	111.5	−11.5	−1.5	−16.1
83	78.5	21.5	−2.6	−3.9	78.9	21.1	11.3	−6.1	110.0	−10.0	−0.8	−16.9
84	54.9	45.1	7.1	17.0	71.2	28.8	11.3	−10.2	93.4	6.6	0.7	1.9
85	46.2	53.8	24.6	4.2	128.5	−28.5	19.8	−7.2	97.5	2.5	0.6	2.3
86	65.3	34.7	17.6	14.5	161.5	−61.5	40.4	−30.3	—	—	—	—

(資料)　日銀『日本経済を中心とする国際比較統計』1988年

いる。また企業については、表Ⅲ-34「企業資金調達の内訳(構成比)の国際比較」が明らかに示している。自己資金による調達方式を主力とする日本と西ドイツに比較して、最近のアメリカ企業においては、他人資金による調達額の割合が高く、一九八五年には自己資金による調達額を超えている。負債比率(=負債額÷自己資本)も一〇〇%を超え、一九八五年一二二%、八六年一二七%に達している。このような借金構造は、アメリカ経済を、金利水準の上昇に対してきわめて脆弱な体質に変貌させてしまった。

一方、世界経済を動かす力はモノの貿易からカネの国際的な流れに向かって大きく移動しており、いまや金利水準は、単に一国通貨当局のナショナル・ポリシーによっては決定することはできず、為替レートの変動と深く関連するようになった。このことを考え合わせると万一、「暗黒の月曜日」のようなケースの再現があり、ドル安が金利上昇に連動したような場合、あるいは外国通貨当局によるアメリカ財務証券の買い支え(一五五ページを見よ)が停止され、アメリカ国債利回りの急上昇(金利水準の急上昇)が伴った場合、さらにG5内部の政策協調が失敗し西ドイツや日本などがインフレ対策として一方的に公定歩合を引き上げる場合など、アメリカ国内の実体経済に与える影響は決して小さくないであろう。赤字構造の中にどっぷりつかったアメリカ経済の体質は明らかに最近とみに脆弱化しつつあるといっても過言ではないだろう。

Ⅳ　経済的覇権の盛衰と多国籍企業

(1)　イギリスの経済的覇権の衰退

衰退のはじまり　「一九〇〇年まで、イギリスは世界の地表の五分の一以上を支配し、世界の人口の四分の一を統治した。……産業面でのイギリスの君臨は、一九世紀中頃に頂点に達した。当時、世界で製造された商品の三分の一がイギリス製であった。イギリスは、世界の石炭・鉄・綿製品の半分、そして鉄鋼のほとんど半分を生産した。これを足場に、イギリスは世界貿易の四分の一を管理し、商業・金融上の堅固な支配を作り上げた。一九〇〇年においてさえ、イギリスはなお、世界の製品輸出の三分の一を占め、イギリス船舶の登録トン数は、それを除いた全世界の船舶総トン数より多かった。ロンドンは、新しい資本主義経済において他を寄せつけない商業・金融の中心地であった。国際通貨システムは、金本位制とポンド・スターリングを軸とし、イギリスの海外投資は、一九一四年までに、なんと総計四〇億ポンドに達していた」(Andrew Gamble, *Britain in Decline*, 1981, p. xv. 都築忠七・小笠原欣幸訳『イギリス衰退一〇〇年史』二〇—二一ページ)。そのため、イギリスの金利生活者は毎年約二億ポンドほどの投資収益を確実に入手することができた。

表Ⅳ-1は一九一三年当時のイギリスの国際収支を示している。この投資収益が、商品とサービス貿易の赤字をカバーしてなお大きな余剰を残し、その余剰が新規の海外投資を可能にしていたことがわかる。このイギリスの投資収益が、ついに商品・サービス貿易の赤字に及ばなくなり、経常勘定の収支尻が赤字になりはじめたのは一九二六年。一九七〇年代末、北海原油の開発で経常収支尻が再び黒字に転ずるまでの衰退のはじまりである。*,**

表IV-1　1913年のイギリス国際収支

単位：100 万ポンド

経常勘定	
商品	− 132
政府取引	− 12
海運	＋ 94
対外投資収益	＋ 210
短期投資利子，手数料	＋ 25
その他サービス	＋ 10
収支尻	＋ 195
資本勘定	
新規資本発行（償却分を除く）	− 198
金移動	− 14
小計	− 212
誤差脱漏	＋ 17
収支尻	− 195

＋受取超過，－支払超過

（資料）The Royal Institute of International Affairs, *The Problem of International Investment*, 1937（松本訳，209ページ）

* イギリス製造業の輸出能力の傾向的低下は、現在、部分的には北海原油によって覆い隠されている。北海原油の開発がなければ、輸入水準も経済活動水準も現水準以下に低く抑えなければならないだろうといわれている(前掲訳書七三ページ)。

** ポンドの対ドル・レートも、戦前は旧平価(一ポンド=四・八六六ドル)であり、戦争直後も一ポ

表 IV-2　製品輸出総額に占める割合(1950-79年)

単位：%

	1899	1929	1937	1950	1960	1970	1977	1979
イギリス	33.2	22.9	21.3	25.5	16.5	10.8	9.3	9.7
フランス	—	—	—	9.9	9.6	8.7	9.9	10.5
ドイツ	—	—	—	7.3	19.3	19.8	20.8	20.8
日本	—	—	—	3.4	6.9	11.7	15.4	13.6
アメリカ	—	—	—	27.3	21.6	18.5	15.9	15.9

(資料)　London and Cambridge Economic Service, *The British Economy, Key Statistics*, (London, 1970) and NIESR, *Quarterly Bulletin*, May 1980, 前掲『イギリス衰退100年史』49ページ

ンド＝四・〇三ドルのレベルにあったものが、度々の平価切下げを経て一九八四年六月までに一・三〇ドルまで低落した。ただし、最近(一九八八年四月)は一ポンド＝一・八八ドルまで回復している。

生産性上昇率の劣位

表Ⅳ-2は、世界経済と世界貿易におけるイギリスの相対的地位の低下を示している。この表によって推測できるように、製品輸出総額に占めるシェアにおいて、イギリスは、一九四四年までトップを維持してきたが、戦後アメリカがイギリスを追い越し、一九六〇年ドイツがイギリスを抜き第二位を確保し、さらに一九七〇年、日本がイギリスにかわって第三位を占め、西ドイツは、アメリカを抜いてトップに立ち、一九七七年、イギリスはフランスに抜かれ第五位まで低落した。

表Ⅳ-3は、生産性(一人一時間あたりGDP)上昇率の国際比較を示している。これによって明らかなように、イ

表IV-3　生産性(1人1時間あたりのGDP)上昇率(1870-1976年)

単位：%

	1870-1913	1913-50	1950-76
フランス	1.8	1.7	4.9
ドイツ	1.9	1.2	5.8
イタリア	1.2	1.8	5.3
日本	1.8	1.4	7.5
アメリカ	2.1	2.5	2.3
イギリス	1.1	1.5	2.8

(資料)　A. Maddison, "The Long Run Dynamics of Productivity Growth," in W. Beckerman (ed.), *Slow Growth in Britain,* (Oxford University Press, 1979) p. 195, 前掲『イギリス衰退100年史』48ページによる

ギリスは、一八七〇―一九一三年において最低であり、一九一三―五〇年において、戦災によって生産力を大きく喪失したドイツと日本を除くと最低のレベルにあり、一九五〇―七六年においては、イギリスより低いのはアメリカのみという低水準であることが明らかとなる。この生産性上昇率の劣位が、イギリスの国際競争力を急速に低下させていったといってよいだろう。

相対的衰退の理由

しかしこのようなイギリスの衰退現象は、あくまでも「絶対的衰退ではなく、相対的経済衰退であ」(*op. cit.*, p. 12. 前掲訳書四五ページ)り、「イギリスは今も世界で最も豊かな国の一つであるということを」忘れてはならない。要するに、世界システムの中におけるイギリスの相対的衰退が、いわゆるイギリス病の実態にほかならない。これら相対的衰退の理由を説明するものとして、『イギリス衰退一〇〇年史』の著者A・ギャンブルは、次の四つの違った見方をあげている(前掲訳書五九ペー

ジ)。

「①社会民主主義によって足枷をはめられている市場秩序
②所得の分配と産業統制をめぐる未解決の闘争によって行き詰まった政治体制
③近代産業と相容れない政治文化
④国内の近代化を不可能にする世界的国家」

①は、新自由主義者、マネタリストの見解であって、「この分析に従えば、完全雇用と経済成長を回復するためには、労働組合の力を抑制し、公共支出と税金を減らし、政府の安定化政策の主眼として健全な通貨政策を再度導入することが必要となる」という。要するに「競争による規律、利潤と高賃金の報酬、破産と失業による懲罰が適切に回復される市場秩序によって、健全な資本主義経済が保障される、というのである」。これは、ニューディールが長期停滞をもたらしたとして〝拘束のない資本主義〟(unfettered capitalism)を主張するシュンペーターの見解(J. A. Schumpeter, "Capitalism in the Postwar World," in *Postwar Economic Problem*, ed. by S. E. Harris, 1943)のイギリス版といってよいだろう。

②のアプローチは、「問題は国家の介入にあるのでなく(ここでは、①のアプローチと反対に、国家の介入は必要かつ望ましいと考えられている)、要領をえない、不適切な、あるいは害に

なる介入の仕方にある」と主張する。この見解は多くの社会主義者に支持されており、「彼らは、イギリス経済の後退を説明する際の決定的な要因はイギリスの労働者階級の自衛力である、と論じている。……この組織された自衛力を政治的に利用するか、ないしは打破するかのいずれにも失敗したことが、引きつづく衰退の主要原因と見なされている」のである(*op. cit.*, p. 31. 前掲訳書六五ページ)。

③のアプローチは、雑多な説明を伴い、論点もあいまいなことが多いが、特殊イギリス的な反産業的政治文化によって説明しようとしている。反産業的文化の一つは支配階級の文化で、イギリスでは、産業資本家の登場をもってしても、結局、永い間「支配階級であった土地所有者の文化と社会秩序に挑戦し、それを覆すには至らず、反対にその秩序に適応してしまった」。そのため「爵位・身分・階層区分が引きつづき重視され、むしろ開かれた体制、実力主義・平等主義的体制への移行が阻害され」てしまった(*op. cit.*, p. 26. 前掲訳書六六ページ)。もう一つの反産業精神は、労働運動の文化である。「労働運動は平等主義の雰囲気を助長したが、この平等主義の雰囲気が冒険精神を挫き、企業心と責任感に対する報酬を減らし、倹約・率先・自助心といった市場秩序に不可欠の価値を侵害し、経済と社会との調整に不可欠な機構としての市場と、経済実績の重要な指標である利潤とに対する敵対心を作り出した。……社会民主主義は、

成長と勤労意欲の文化より、むしろ再分配と資格・権利の文化を奨励したというのだ」(*op. cit.*, p. 27. 前掲訳書六七ページ)。

④このアプローチは、③と異なり、イギリス経済がどのように世界経済に統合されてきたかに注目する。「一時世界で最も進んだ経済国であったイギリスが今や経済的後進性で名高いのはなぜなのか。……イギリス経済発展のカギであった世界市場と資本輸出の急速な発展それ自体が、諸外国が発展する条件であったからである。他の国々は経済的・政治的ナショナリズムに助けられ、間もなく相対的な遅れを取り戻した。一九世紀中頃のイギリスの商業・経済・政治上の支配は一時的なものに終らざるをえず、世界経済の中心としてのイギリス経済と国家の地位は確実に挑戦を受けることになった。予期されなかったことは、イギリスの方がこれらの挑戦に対してふさわしい反応を示したのが、二つの世界大戦中と一九三〇年の経済回復、四〇年代の再建の時期だけだったことだ。二〇世紀のイギリス史のナゾは、経済ナショナリズムを首尾よく封じ込めたことである。もっと不思議なのは、この封じ込めが、衰退のごく最近の段階である一九四五年以降の時期に、完璧になったことである」と考える(*op. cit.*, p. 34. 前掲訳書六九ページ)。

これらの指摘は、いずれも二〇世紀のはじめから最近までのイギリスの衰退にかんする諸見解である。ところが、これらの見解のほかにも、国際収支の壁に注目するハロッドの見解がある。「注目すべきことは、完成品の輸入が急増しているという事実である。……イギリス経済を困難におちいらせた主要原因は、まさにイギリス人の外国製品に対する選好が異常に高まった」ことである。それによって「再三起こる国際収支難のため、不幸なことにイギリス当局は、過去一〇年間ほとんど需要を抑制し、経済を不完全雇用状態におくことこそが望ましいと考えてきた。しかし、これが工業の近代化をおくらせる最も重要な原因となったわけである」(ハロッドの寄稿『東京銀行月報』一九六五年二月号)。要するに「イギリスの生産者が外国との競争に敗北したのは、輸出市場におけるより以上にはるかにイギリス国内市場においてであった。外国のメーカーは、工業製品のイギリス国内市場において、シェアを顕著に拡大しつつあった。……真実は、イギリスの生産者たちが国内市場において十分な販売努力を行なわなかったということであって、イギリスの対外収支が必要なだけ改善しなかったことの主たる責任は、この分野における努力の欠如にあった」(R. F. Harrod, *Money*, 1969, p. 264)。これは、ケインジアンの見解とみてよいだろう。かつて労働党政権の労働大臣レイ・ガンタも、「何世代もの間、この国は正直に働いて金を得ていない」と述べたことがある。莫大

ハロッドの見解

な海外からの投資収益のためにイギリス人はあまりにも消費しすぎ、働かなさすぎたというのである。

この見地に立つと、一九二五年、第一次世界大戦以前と同一平価（一ポンド＝四・八六六ドル）で金本位制に復帰することを決定したことも、投資収益の対ドル価値を推持するためには、イギリスの輸出競争力の弱体化をも辞さないイギリス政府の金利生活者階級擁護のドラスティックな措置であったといってよいだろう。（一九二六年のゼネストは当然の帰結であった。）

（2）アメリカの経済的覇権の動揺

それは、単にイギリスだけに見られた〝病〟ではない。最近のアメリカにもその〝病〟の兆候が現われはじめた。

「黄金時代は終った」

「第二次大戦後の三〇年、アメリカ国民の生活水準は一貫して上昇しつづけた。」かつて一九二八年、H・C・フーバーが共和党の選挙スローガンとしてかかげたのは、〝すべての国民に鶏肉を、すべての家庭に自家用車を〟であった。しかし戦後の三〇年は「毎年ほとんど例外なしに賃金は上昇、その一方で、労働時間は短縮した。鶏肉どころか、大半の家庭が

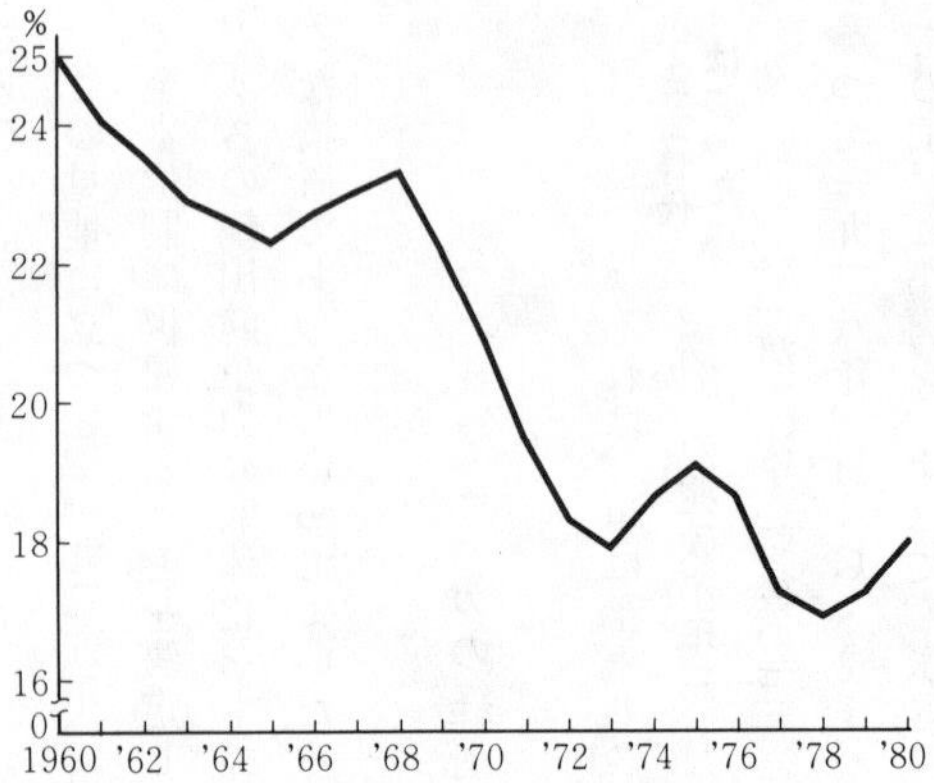

（資料） *Business Week*, June 30, 1980, p.59

図IV-1　先進国の工業製品輸出市場に占めるアメリカのシェア

二台の自家用車を所有し、テレビ、ステレオ、オーブン、ミキサーといった家電製品も急速に普及した。アメリカの消費需要の拡大が、アメリカ企業ばかりか、ヨーロッパや日本、さらに第三世界にも恩恵を与え、四半世紀以上もの間、空前の世界的な経済発展をもたらしたのである。だが、この黄金時代はすでに終ってしまった」(Business Week, *The Reindustrialization of America*, 1982. 日経ビジネス訳『よみがえる米国経済』一九八二年、三ページ)。

「ヨーロッパや日本の経済が十分に復興した一九六〇年当時ですら、アメリカは先進工業国全体の製造業輸出の四分の一以上を占め、アメリカ国内市場の九八%を握っていた。ところがそれ以来、アメリカは国内外において市場シェアを低下させるどころか、競争力を急速に失ってしまった」(前掲訳書五ページ)。

図Ⅳ-1に明らかなように、先進国の工業製品輸出市場に占めるアメリカのシェアは、一九六〇年には二五%を占めていたが一九七〇年には二一%まで低下し、また一九八〇年には一八%まで低下し、二〇年間に七%も減少させている。

表Ⅳ-4は、アメリカの主要産業が世界市場において次第にシェアを失いつつあることを示している。

表IV-4　世界市場におけるアメリカ産業のシェアの低下

単位：%

主要産業名	1962	1970	1980
輸送用機械	22.6	17.5	11.4
航空機	70.9	66.5	52.2
有機化学品	20.5	25.7	15.3
通信機	28.5	15.2	15.0
プラスチック製品	27.8	17.3	12.6
機械	27.9	24.1	16.6
医療用機器	27.6	17.5	14.9
金属加工機械	32.5	16.8	24.0
農業機械	40.2	29.6	24.9
工具・工作機械	20.5	19.1	13.5
繊維・皮革機械	15.5	9.9	7.2
鉄道車輛	34.8	18.4	12.2
住宅用資材	22.8	12.0	7.8

(資料)　*Business Week*, June 30, 1980, p. 60

現在でもアメリカの産業別貿易収支では大幅黒字を記録している分野、たとえば、航空機、化学製品、プラスチック製品、一般機械などですら、世界市場のシェアを失いつつある。一九六〇年代には貿易収支が黒字で最近になって赤字に転じた分野、たとえば輸送用機械(自動車)や通信機、繊維機械などは、世界市場のシェアをほぼ半減させている。そのほか

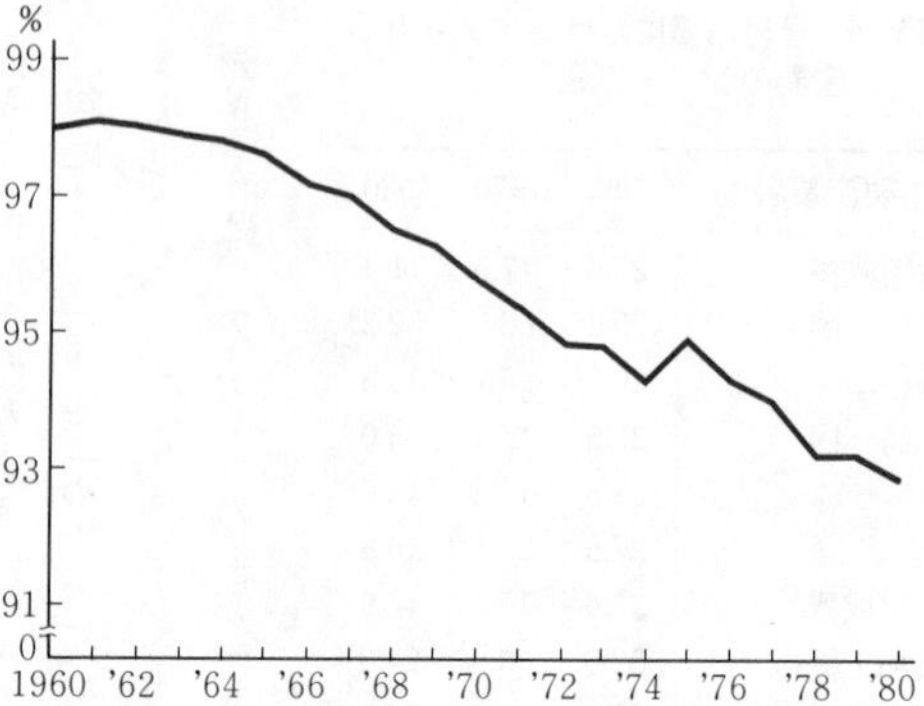

（資料） *Business Week*, June 30, 1980, p.58

図 IV–2　アメリカ国内工業製品販売額に占めるアメリカ企業のシェア

シェアを大幅に低下させている分野、鉄道車輛、住宅用資材などは、もともと産業別貿易収支の赤字であった分野である。

繊維機械のシェア低下

またアメリカ企業のアメリカ国内工業製品販売額に占めるシェアも、図Ⅳ-2に明らかなように、一九六〇年には九八％にも達していたが、一九七〇年には九六％以下に低落し、一九八〇年には、九三％を下回るまでになっている。表Ⅳ-5は、アメリカの各産業ごとのアメリカ国内市場におけるシェアの低下を示している。とりわけシェア低下が顕著なのは、繊維機械と家電、電卓である。表Ⅳ-4によって、アメリカ繊維機械は、世界輸出市場シェアにおいて、一九六二年当時一五・五％を占めていたが、八〇年には七・二％まで低下したことを示しておいた。

この分野はアメリカがかつて国際競争力を誇っていた分野であったが、現在では輸入超過に陥っている。そのため、アメリカ国内のシェアも、一九六〇年当時九三・四%にも及んでいたのが、八〇年には五三・一%まで急落している。「アメリカの繊維機械業界は、技術の改善で競争力強化に成功した数少ない産業の一つであったが、それも輸入機械設備の導入によってはじめて可能になったというのは何とも皮肉なことといわねばならない」(*Business Week*, June 30, 1980, p. 59)。

表 IV-5　国内市場におけるアメリカ産業のシェア低下

単位：%

主要産業	1960	1970	1980
自動車	95.9	82.8	72.9
鉄鋼	95.8	85.7	83.4
衣料品	98.2	94.8	90.1
電気部品	99.5	94.4	78.9
農業機械	92.8	92.2	80.7
工業用有機化学品	98.0*	91.5	76.2
家電	94.4	68.4	53.1
靴	97.7	85.4	66.6
切削用工作機械	96.7	89.4	71.0
食品加工機械	97.0*	91.9	84.2
鍛圧機械	96.8	93.2	76.2
繊維機械	93.4	67.1	53.1
電卓	95.0*	63.8	57.1

＊は推定

(資料)　*Business Week*, June 30, 1980, p. 60

家電・電卓　また、家電、電卓の場合も、一九六〇年当時、アメリカ国内メーカーの市場占拠率はそれぞれ九四・四%、九五・〇%にも達していたが、八〇年になるとそれらが五三・一%、五七・一%まで低下し、輸入品のシェアが五〇%近くになっている。

そのため、ラジオ生産、白黒テレビ生産からアメリカ企業は撤退し、カラーテレビも部品をOEM(注文主ブランドによる外国生産＝original-equipment manufacturing)契約をして輸入し、それを単に組み立てたにすぎないものが主流になっている。また一九七六年、日本製カラーテレビの輸入が急増したため翌七七年から三年間、日米間でOMA(市場秩序維持協定＝Orderly Marketing Agreement)が締結されたが、その後OMAの制約を逃れるためアメリカに進出し、カラーテレビの現地生産に着手する日本企業が増加している。しかし日本企業がアメリカのテレビ市場やビデオ・テープレコーダー(VTR)市場を席巻することができたのは、必ずしも労働コストが安いためではない。経営と技術、さらに企業家精神においてアメリカの側が劣位に立ったからである。かくて家電等の分野では、市場が拡大しているにもかかわらず、七〇年代以降雇用の減少がつづき、とくに七五年以降八〇年までの六年間では、年平均六％もの減少を回避できなかった。

しかしよく知られているように、失業率は、アメリカ全土に平均して増大したのではない。鉄鋼、自動車、タイヤなど基幹産業の集中するミシガン州を中心とする北部、および中西部の工業地帯(イリノイ、インディアナ、オハイオの各州)では、一九八〇年一〇％を超える失業率を記録したのに対し、南部と西部とくに〝サンベルト地帯〟(ノースカロライナ州からメキシコ湾諸州、さらにテネシー、アーカンソー、オクラホマ、アリゾナ州を経てカリフォルニア州に至る地帯)、〃シリコン・バレー〃(サンフランシスコ郊外の渓谷地帯の半導体生産基地)と呼ばれる地帯では、むしろ雇用が増加し、人口(一九七〇—七八年)も南部では二八〇〇万人、西部でも一一〇〇万人の増加となり、「アメリカ商務省は一九九〇年までにアメリカの人口の五四%が南部と西部に集中するであろうと予測している」("America's Restructured Economy," *Business Week*, June 1, 1981, p. 46)。

歴史上はじめての出来事といってよいだろう。

技術革新の停滞

さらに技術革新の停滞が加わる。今世紀、コンピューター、テレビ、航空機を開発し、さらに戦後マイクロエレクトロニクスからカラーテレビ、多くの医薬品、ポラロイド・カメラ、複写機技術等を開発し、商品化をはかってきたアメリカの技術創造力は衰退しはじめている。

研究開発投資の減少が、それをうらづけている。一九七二年のドル価格で測って、六八年、二九八億ドルでピークに達したが、七六年までは二七〇—二九〇億ドルの間で低迷をつづけていた。七九年には三一二億ドルになったが、六八年のわずか四・七%増にすぎない。しかも、アメリカの研究開発費は軍事費その他の国家予算によって支給されている割合が五〇%程度も

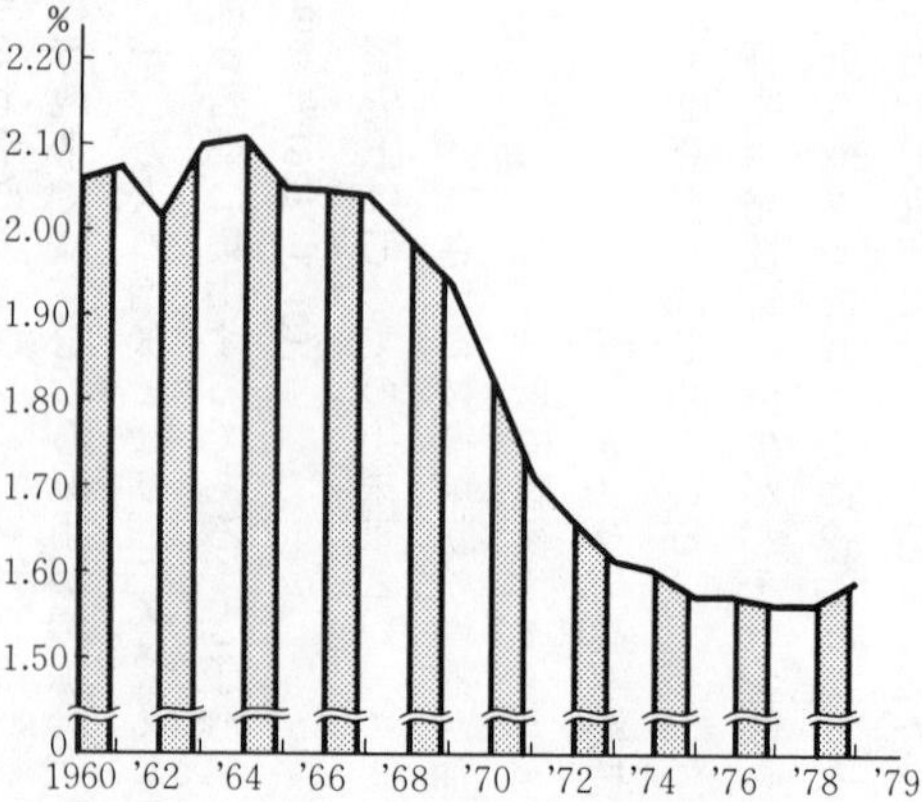

（資料） *Business Week*, June 30, 1980, p.61

図IV-3 GNPに占めるアメリカ民間の研究開発投資額の比率

あって、民間の研究開発投資額だけをみると、六九年二一一億ドルのピークに達したあと、八年間はこれを上回った年はなく、ようやく七八年二一九億ドル、七九年二二七億ドルを回復したにすぎない。図Ⅳ-3は、GNPに占めるアメリカ民間の研究開発投資額の比率を示しているが、一九六四年の二・一%から七八年には一・六%まで低下している。*

* 一九八五年、アメリカの研究開発投資額は一兆八七八・二億ドルと急増しているが、主として軍事予算によるものであって、一九八五年でもGNPに対する民間研究開発投資額の割合は、一・四三%にすぎない。

労働生産性

民間研究開発投資と設備投資の停滞は、アメリカ労働生産性の伸びに反映する。すでに述べたように、レーガンは一九八一年大統領就任直後のテレビ放送で、「アメリカの労働生産性は、一九四八―六八年の二〇年間、年率三・二％で上昇をつづけたが、六八―七三年の五年間の上昇率は年率一・九％に鈍化し、七三―七八年の五年間の上昇率は年率〇・七％まで低下し、それ以降の伸び率はマイナスに転じ、一九八〇年現在のそれはマイナス〇・六％を示すに至っている」と指摘した。図Ⅳ-4は、日本、西ドイツ、フランス、アメリカの製造業の労働生産性を、一九六七―七三年平均と一九七三―七九年平均を比較して示したものである。

日本では製造業生産性の伸び率は、一九六七―七三年年平均一〇・四％、その後低下したが七三―七九年平均でも四・二％を維持しており、その間フランスの伸び率も六・一％から四・九％に低下した程度で、西ドイツではその間ほとんど低下せず、一貫して五％台の伸びをつづけている。それ

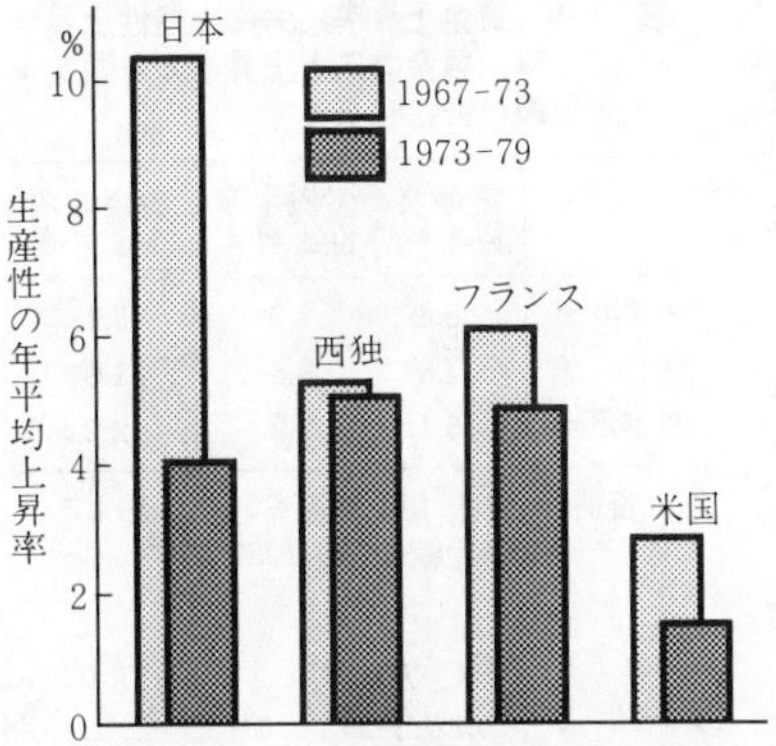

（資料） *Business Week*, June 30, 1980, p.65

図Ⅳ-4　各国製造業の生産性の変化

表IV–6　賃金上昇率，労働生産性上昇率，賃金コスト上昇率の各国比較(1977–86年)

単位：%

	賃金上昇率	労働生産性上昇率	賃金コスト上昇率
アメリカ	6.4	3.2	3.1
日　本	4.8	3.8	1.0
西ドイツ	5.1	2.9	2.2

（資料）日銀『日本経済を中心とする国際比較統計』1987年

に対してアメリカの伸び率は、二・九%から一・三%に大きく低下していることが明らかとなる。いずれの先進工業国においても、製造業の労働コストは上昇しているが、アメリカでは、それがとくに著しい。アメリカにおける単位当り労働コストの上昇率は一九六〇—七三年の年平均が一・八%、それが七三—七九年には七・九%を記録した。それは、時間当り賃金の増加と労働生産性の伸びの大幅低下の相乗作用によるものにほかならない。表Ⅳ-6は、アメリカの賃金コスト上昇率が日本と西ドイツに比して高いことを示している。

以上の経済指標は、いずれもアメリカの経済的覇権に揺らぎが見えはじめたことを示唆している。

賃金コスト上昇率

次節に入る前に、一九八五年以降の円高・ドル安の調整が、日・米・西ドイツの賃金コスト上昇率に与えた影響をみておこう。表Ⅳ-6で示した名目賃金上昇率を名目ドルに換算した上昇率にあらため、名目ドルに換算した賃金コストを計算すればよい。表Ⅳ-7はそれを示している。アメリカがドル高をつづけていた一九八〇年から一九八

表 IV–7　アメリカ，日本，西ドイツのドル建て賃金コスト上昇率

単位：％

国と年		賃金上昇率 名目賃金	賃金上昇率 ドル建て賃金	労働生産性上昇率	賃金コスト上昇率 名目賃金コスト	賃金コスト上昇率 ドル建て賃金コスト
アメリカ	1980–85 年平均	5.6	5.6	3.8	1.7	1.7
	1986 年	2.1	2.1	3.7	−0.6	−0.6
	1987 年	1.8	1.4	2.4	−0.7	−0.7
日本	1980–85 年平均	3.8	2.8	3.0	0.8	−0.2
	1986 年	3.4	46.4	−0.5	4.0	47.2
	1987 年	1.0	17.7	3.6	−2.5	13.6
西ドイツ	1980–85 年平均	4.2	−5.4	3.7	0.4	−9.0
	1986 年*	3.6	27.6	3.3	2.3	38.6

＊のみアメリカ労働省 *Monthly Labor Review*

(資料)　日銀『日本経済を中心とする国際比較統計』1988 年，より計算

五年までは、賃金コスト上昇率は、日本と西ドイツにとってドル建ての方がいっそう有利で、対前年上昇率はマイナスを示しており、とくに西ドイツは、年平均九％もドル建て賃金コストを減少させていたことが明らかとなる。

ところが、大幅にドル高が是正されはじめた一九八六年をみるとこの関係は逆転し、日本のドル建て賃金コスト対前年上昇率は、一挙に四七・二％(八七年にはさらに一三・六％)、西ドイツのそれも三八・六％と急上昇している。日本と西ドイツの製造業の国際競争力を大幅に低下させたことはいうまでもない。

(3) 空洞化と多国籍企業

空洞化

すでに見たように、一九八五年九月のプラザ合意以降、アメリカ製造業の賃金コスト上昇率は一転マイナスとなり、反対に日本・西ドイツのドル建て賃金コスト上昇率は急増した。それにもかかわらず、アメリカの貿易収支はそれほど改善されなかった。アメリカの雑誌『ビジネス・ウィーク』(一九八六年三月号)が"The Hollow Corporation"*(企業の空洞化)にかんする特集を組んだのは、このような背景によっている。ドル建て賃金コストで測った国際競争力において優位に立ちながら、なお貿易収支の赤字が減少しないとすれば、アメリカの輸出メーカーの側に〝空洞化〟が生じているのではないかというのである。

「いまやアメリカ製造業は、自動車から半導体に至るまで、少しも生産しないで、その代わりに低賃金国から部品と完成品を輸入し、自社ブランドを張りつけてアメリカ国内において販売している。このまま放置しておく限り、この流れは、究極的には——生産性を低下させ、技術革新を遅らせ、生活水準の伸びのテンポを低下させ——経済を破滅に導く。サービス経済の顕著な進展があっても、製造業に見られるこの低落を相殺することはできない」と『ビジネス・ウィーク』誌はきびしく警告を発している。

＊「空洞化」にあたる表現としては、この The Hollow Corporation のほか Deindustrialization とか an empty manufacturing shell があり、その定義もまちまちである。たとえば、

「産業の空洞化(deindustrialization)とは何かというならば、一国のベーシックな生産能力における広範囲かつシステマティックな資本の撤退の進行である。論争の余地はあろうが、アメリカ経済において見逃すことのできない根本問題は、資本が基幹産業への生産的投資に対して向けられないで、非生産的な投機や合併・買収、あるいは海外投資に向けられてきたプロセスにある。その後に残されたものが閉鎖工場であり、失業者であり、一群のゴースト・タウンの出現である」(B. Bluestone & B. Harrison, *The Deindustrialization of America*, 1982. 中村実訳八ページ)。

「産業空洞化(de-industrialization)という用語は、元来は、製造業の就業者数や産出高の減少を引き合いに出すためでなく、製造業部門の能力の落ち込みを言うために用いられる。その能力とは、高水準の雇用を維持することに加えて、国内経済に不可欠な食糧・燃料・原料の輸入を賄う外貨を獲得する能力のことである」(Andrew Gamble, *Britain in Decline*, p. 37. 邦訳七二ページ)。

OEM輸入の波及効果

レーガン第I期、リーガン財務長官主導の強引なドル高のもとで、アメリカのメーカー(たとえば家電・電卓メーカー)が、日本やアジアNIES(新興工業経済

地域)から部品や製品を積極的に輸入して自社ブランドで販売する、いわゆるOEM輸入への依存を強めてきたことはよく知られている。しかし一度国内メーカーがOEM輸入への依存体質を身につけると、ドル高の調整が進み、賃金コストで測った国際競争力において相対的優位をとり戻しても必ずしも国内生産が復活するとは限らず、単にOEM輸入元を日本・西ドイツから、なおドル建て賃金コストの十分低いラテンアメリカやアジアNIESなどに転換させるにとどまっている。

それればかりではない。注目すべきは、一度完成品輸入がはじまると、それがアメリカ経済へ与える影響は、そのメーカーの生産と雇用の減少に限らない。波及効果(ripple effect)を無視することはできないであろう。いま、もし完成自動車を一〇億ドル輸入したとすると、①自動車の生産量は一二億ドル減少する。生産された自動車を輸送するための自動車生産(二億ドル)を減少させるからである。②そのほかに(鉄製品一・八四億ドル、機械〇・九八億ドル、ゴム〇・六七億ドル、非鉄〇・四六億ドル、化学〇・四億ドル、その他三・四三億ドル等)計七・七八億ドルに及ぶ関連製造業の生産が減少し、③卸売・小売業、その他、輸送・倉庫・電力等のサービス業種の減少額も三・四八億ドル、④鉱業の生産減〇・四七億ドル、⑤金融・保険業の減収〇・三九億ドル、⑥自動車関連のプラント製造の減少〇・一六億ドル、これら減少額をすべて合計

表IV-8　アメリカ経済のサービス化と生産性上昇率の低下

単位：%

		1960	1965	1970	1975	1980	1985
GNPに占める割合	製造業	29	29	26	23	23	21
	サービス業	60	61.5	64	65.5	65	68.5
生産性の上昇	製造業	100	125	130	155	170	(1984) 190
	サービス業	100	115	126	135	140	155

(資料)　*Business Week*, March 3, 1986, p. 54より作成

すると二四・二八億ドルに及び、その波及効果は、二・四倍に及んでいる(*Business Week*, March 3, 1986, p. 58)。そのため、円高・ドル安調整が進んでも、国内生産の復活にはかなりの時間を必要とするのである。

その結果、表IV-8に明らかなように、年とともにGNPに占める製造業の割合は低下し、サービス業の割合は増加しているが、生産性上昇率でみるとサービス業の方が製造業に比して低く、このことを考慮に入れると、〝空洞化〟の警告には十分な論拠があると思われる。

二つの見解　アメリカ製造業の海外進出は、今にはじまったことではない。少なくとも三つの時期に区分して考えることができる。第一期はEEC(ヨーロッパ経済共同体)の成立を背景とするヨーロッパ市場確保のための海外進出であり、第二期は市場確保よりいっそう積極的に、アメリカより賃金コスト上昇率の比較的低い先進国における現地生産を目的とする海外進出で

あり、第三期はOEM輸入を目的とした海外進出であって、どちらかといえば、先進国向け海外進出よりもドル建て賃金コスト上昇率の低い発展途上国向けの割合が増加しはじめる。

第一期については、二つの見解が見られた。かつてジャン＝ジャック・セルバン＝シュレベールは、その著『アメリカの挑戦』(Jean-Jacques Servan-Schreiber, *Le Défi Américain*, 1967)の冒頭において、「これから一五年もすると、アメリカ、ソ連に次ぐ世界第三の経済力をもつのは、ヨーロッパではない。ヨーロッパでだしぬいた〝ヨーロッパにおけるアメリカ企業〟がその地位につくであろう」と予言した。この命題は、明らかにEEC成立を契機にヨーロッパに進出したアメリカ多国籍企業の子会社の成長率(G_s)の高さと、在来のヨーロッパ企業の成長率(G_e)とを比較して、G_sがG_eよりつねに大である($G_s > G_e$)という事実関係を発見し、そこに〝アメリカの挑戦〟を見出したものにほかならない。

しかし、セルバン＝シュレベールは、この事実の奥に、アメリカ企業とヨーロッパ企業との間に抜きがたい技術格差と経営格差が横たわっており、さらに立ち入って見ると、「現代技術は、大企業形態を要求する」というガルブレイスの命題を介してアメリカ企業とヨーロッパ企業の間の〝規模の格差〟がとりわけ決定的な要因であると判断している。要するに、セルバン＝シュレベールの見解は、〝アメリカの挑戦〟の秘密を〝規模の格差〟が〝成長率の格差〟を

表IV-9　アメリカの電機・電子産業の過半数支配子会社との貿易

単位：100万ドル

発展途上国名	1977年			1982年		
	輸出	輸入	収支	輸出	輸入	収支
合計	1,065	2,098	−1,033	3,075	4,652	−1,577
メキシコ	193	230	−37	756	1,020	−264
香港	71	248	−177	78	455	−377
台湾	117	454	−337	271	631	−360
韓国	72	142	−70	138	n. a.	n. a.
シンガポール	190	501	−311	319	791	−472
マレーシア	180	284	−104	851	1,028	−177

（資料）*US. Direct Investment Abroad*, 1977, Table Ⅲ. 1–13 & Table Ⅲ. 1–19；1982, Table Ⅲ. G3 & Table Ⅲ. G20より作成

決定しているところに見出していることになろう。

この見解に対して、S・ハイマーが根本的な疑問をなげかけている。セルバン－シュレベールは、もっぱらヨーロッパ市場に範囲を限定して、ヨーロッパに進出したアメリカ系子会社の成長率がヨーロッパ企業の成長率より高い（$G_s>G_e$）という関係を重要視したのに対し、ハイマーは、もっと視野を広く、アメリカ市場とヨーロッパ市場の双方を含む広大な世界市場全体からみると、（ヨーロッパに進出したアメリカ資本系子会社の成長率（G_s）ではなく）その在欧子会社を含むアメリカ多国籍企業全体の成長率（G_p）は、必ずしもヨーロッパ企業の成長率（G_e）よりも高くないという事実から、むしろ$G_s>G_e \geqq G_p$という不等関係こそ重要な事実認識だと考える。

関連貿易(産業別, 1982年)

単位：100万ドル

輸入総額(D)	多国籍企業関連輸入 合計(E)	在外子会社からアメリカ本社向け(F)	(F)/(E) %	(E)/(D) %
253,033	120,768	41,598	34.4	47.7
67,500	56,548	11,502	20.3	83.8
144,622	48,400	26,731	55.2	33.5
19,381	3,200	671	21.0	16.5
9,885	5,377	**	—	54.4
20,902	4,118	2,812	68.3	19.7
19,892	7,699	3,859	50.1	38.7
35,180	17,272	**	—	49.1
64,633	6,947	2,336	33.6	10.7

保持のため公表されず
1986, p. 61. 輸出総額，輸入総額は日銀『日本経済

したがって、セルバン-シュレベールのように一方的に〃アメリカの挑戦〃とみるよりは、「世界市場全体として見れば、アメリカ企業こそEECと日本の高度経済成長によって脅威を受け、みずからの相対的地位を保持するために対外投資を急速に拡大する必要があった」(S. Hymer, *The Multinational Corporation*, London: Cambridge Univ. Press, 1979, p. 193. 宮崎義一編訳『多国籍企業論』一九七九年、一九六ページ)と見る方が本質をついているのではないかと考える。

多国籍企業の成長率

このハイマーの見解は重要である。アメリカ本国における多国籍企業本社の成長率の相対的低下をはやくから洞察していたからである。とも

表IV-10　アメリカ多国籍企業

業種	輸出総額(A)	多国籍企業関連輸出 合計(B)	アメリカ本社から在外子会社向け(C)	(C)/(B) %	(B)/(A) %
全産業	206,043	163,383	46,559	28.5	79.3
石油関連	51,000	20,780	2,812	13.5	40.7
製造業	139,877	112,118	40,092	35.8	80.2
食料品	26,856	4,630	713	15.4	17.2
化学関連	19,906	16,754	5,658	33.8	84.2
一般機械	45,549	19,877	9,940	50.0	43.6
電気・電子機械	14,912	16,987	5,277	31.1	113.9*
輸送機械	27,060	31,334	12,205	39.0	115.8*
その他製造業	33,017	15,003	5,153	34.3	45.4

＊は統計の不突合せのため100を越えている．＊＊は個別企業の秘密
(資料)　US Dept. of Commerce, *Survey of Current Business*, May
を中心とする国際比較統計』1987

しセルバン-シュレベールの見解のようにアメリカ企業のEEC進出をアメリカ企業の市場支配のための攻撃的な海外投資とのみ見ると、前述の『ビジネス・ウィーク』誌の〝空洞化〟は予想しがたい現象となるが、ハイマーの見解には、最初から、アメリカ多国籍企業全体の成長率(G_p)の相対的低下が想定されている。この(G_p)の中には在欧子会社の寄与分が含まれているが、その部分を差し引いたアメリカ国内に限ったアメリカ多国籍企業本社の成長率(G_a)のみを摘出すると、$G_s>G_e \geqq G_p>G_a$となり、アメリカ多国籍企業の海外進出の中にすでにヨーロッパや日本の高成長に対してアメリカ本社成長率(G_a)の相対的低下を前提し、それゆえにアメリカ多国籍企業

全体の成長率（G_p）を維持し防御する意図を読みとっていたこととなろう。

第二期に至ると、このハイマーの見解は、いっそう有効になる。そこでは、もはや市場確保にとどまらず、ドル建て賃金コスト上昇率の比較による生産拠点の海外移動であり、当然多国籍企業本社の成長率（G_a）の停滞をもたらし、第三期のOEM輸入目的の海外進出になると、アメリカ国内の多国籍企業本社は、もはやメーカーですらなく、ディーラーに転落してしまっているからである。要するに〝空洞化〟はまさに〝企業の空洞化〟であり、多国籍企業そのものに内在する論理の一つといってよいだろう。その結果、海外子会社からのアメリカ向け製品及び部品輸出が増大してくる。

企業内貿易

在外子会社からアメリカへの輸出がふえるだけでなく、アメリカ親会社から在外子会社への輸出も増加し、いわゆる多国籍企業の〝企業内貿易〟(intra-firm trade)が増大していく。この点については、すでに拙著『世界経済をどう見るか』の中で触れた。

表Ⅳ-9は、アメリカの

1982年）

単位：100万ドル

会社からの輸入	
アメリカ本社へ (D)	(D)/(C) %
41,598	80.9
24,488	75.7
16,903	79.0
4,140	67.7
3,436	71.2
704	54.7
2,804	71.3
642	71.2
17,109	89.7
6,462	86.2
723	57.9
2,229	88.2
3,510	94.3
2,638	92.6
1,618	91.5
6,391	92.0

May 1986, p. 58

表IV-11　アメリカ多国籍企業関連貿易(地域別,

	関連子会社への輸出			関連子
	合計 (A)	アメリカ本社から (B)	(B)/(A) %	合計 (C)
合計	56,718	46,559	82.1	51,406
先進国	42,956	35,852	83.5	32,340
カナダ	19,505	15,514	79.5	21,392
ヨーロッパ	18,091	15,583	86.1	6,112
EC	16,045	13,949	86.9	4,826
その他のヨーロッパ	2,046	1,634	79.9	1,286
日本	2,516	2,328	92.5	3,934
オーストラリア ニュージーランド 南アフリカ	2,845	2,427	85.3	902
発展途上国	13,528	10,587	78.3	19,065
ラテンアメリカ	7,339	5,511	75.1	7,500
南アメリカ	3,370	2,443	72.5	1,249
中央アメリカ	3,307	2,720	82.2	2,528
その他の西半球	663	348	52.5	3,723
その他のアフリカ	542	284	52.4	2,849
中央アジア	878	551	62.8	1,768
その他のアジア太平洋	4,769	4,240	88.9	6,948

(資料) U. S. Dept. of Commerce, *Survey of Current Business*,

電機・電子産業親会社と発展途上国(メキシコとアジアNIES)における出資比率五〇%を超える在外子会社(MOFA)との間で行なわれた貿易額を一九七七年と一九八二年の二時点で比較している。メキシコにおいても、アジアNIESにおいても、明らかな入超であり、七七年から八二年にかけてその赤字額が増大している。このようなMOFAからの輸入拡大が、アメリカ電機・電子産業における最近のメキシコ、アジアNIESからの輸入超過傾向の要因であることが明らかとなる(『東銀週報』一九八七年六月一一日号三ページ)。

しかし、すべての業種・すべての地域において企業内貿易がアメリカにとって入超をもたらしているとは限らない。一九八六年五月、アメリカ商務省は、一九八二年現在におけるアメリカの産業別・地域別の企業内貿易統計を公表している。まず産業別にみると、多国籍企業関連の貿易は、アメリカの輸出額全体の七九・三%、アメリカの輸入額全体の四七・七%に達しており、また多国籍企業関連輸出額中、本社から在外子会社への輸出の割合は二八・五%、多国籍企業関連輸入額中、在外子会社から本社向け輸入の割合は三四・四%を占めているが、多国籍企業関連貿易も、また本社と子会社の間の貿易もいずれも輸出の方が輸入を超えており、メキシコやアジアNIESにおけるアメリカ電機・電子産業にみられたような入超は、検出されていない。電機・電子機械業種においても、世界全体についてみる限り、入超とはいいがたい。入超なのは、石油関連のみに限られている(表Ⅳ-10)。

入超の要因　次に、地域別統計(表Ⅳ-11)においても、アメリカの多国籍企業関連貿易が入超を示すのは、先進国の中では日本とカナダのみで、それを除くと発展途上国に限られている。とくにラテンアメリカ、アフリカ(南アフリカを除く)、中央アジア、その他のアジ

表IV-12　日本からのOEM貿易(1985年現在)

単位：100万ドル

	OEM輸出	部品輸出	在日アメリカ系MNCによる輸出
VTR	1,953		
コンピューター関連機器・部品	1,913	650	
ファクシミリ	268		
複写機・同部品	301	378	
農業用トラクター	170		
産業用ロボット	90		
油圧式ショベル	70		
自動車・同部品	1,556	2,475	
カラーテレビ	118		
電子レンジ	172		
移動式クレーン	14		
半導体類		1,433	
通信機器部品		821	
内燃機関部品		392	
光学用品部品		254	
オートバイ自転車等部品		226	
その他部品		1,547	
計	6,625	8,176	2,200
輸出額総計	65,278		
企業内貿易比率	OEM比率 10.1%	12.5%	3.4%
			総計 26%

(資料)　通産省推計

ア太平洋にみられるだけである。それでは一九八二年現在、アメリカ全体の貿易収支が大幅な入超を示しているのに、多国籍企業関連の貿易収支が全体として出超を記録しているのはなぜか。それは、もっぱら多国籍企業以外のアメリカ企業が多国籍企業在外子会社以外の現地企業(とくに発展途上国の現地企業)との貿易において大幅な入超を示しているからにちがいない。いいかえると、「多国籍企業以外のアメリカ企業の間でも、海外の非関連企業からの部品調達やOEM生産・供給が一般化している」(『東銀週報』一九八七年六月一一日号六ページ)ことが十分想像されよう。

表Ⅳ-12は通産省によって推計された日本からのOEM貿易を示している。これによっても明らかなように、在日アメリカ系多国籍企業(MNC)による輸出(二二億ドル)のほかに、OEM輸出(一九八五年)が六六・二五億ドルにも達し、輸出総額の一〇%を超えていることが明らかとなっている。

(4) 多国籍企業から多国籍銀行へ

五つのサブ・エコノミー

すでに(表Ⅳ-7)見たように、一九八五年プラザ合意以降の急速なドル高調整によって、アメリカの国際競争力が上昇したことは疑う余地がない。また、アメリカの多国籍企業関連の貿易収支も、必ずしも大幅貿易赤字を説明するものではなかった。このような状況に対して、次のような有力な反省が現われはじめた。「アメリカ製造業者は、旧式プラントを廃棄し、労働者をレイオフすることによって、ここ数年、生産性を上昇させてきた。しかし、アメリカはなお生産性上昇率において日本その他の諸国に遅れをとっている。問題は、アメリカが労働時間削減のための資本投資のみに焦点をあてていたところにある。われわれは、品質改善や在庫削減や新製品の急速な開発から得られる巨大な利益を等閑視してきたのである」(*Business Week*, June 6, 1988, p. 1)。表Ⅳ-13は、この反省をうらづけるデータを示している。

表 IV-13　アメリカと日本の生産性比較(1987 年)

	アメリカ	日　本
原材料在庫	9カ月分	2カ月分以下
受注から引渡しまで*	5-6カ月	1-2カ月
不　良　品**	8-10%	1%以内
設備の平均寿命	17年	10年
労働者1人当り年投資額***	2,600ドル	6,500ドル
(1975年以降上昇率)	+25%	+90%

*機械器具産業，**エレクトロニクス産業，***1975年ドル価格
(資料)　*Business Week*, June 6, 1988, p. 48

それでは、アメリカ経済に再活性化の可能性はないので

あろうか。この問題を考えるためには、現在のアメリカ経済をトータルに巨視的に見るアプローチではその実態を知ることは困難であって、その「部分経済」(sub-economy)に分割して分析することが必要であろう。『ビジネスウィーク』誌の特別報告「アメリカ経済の再構成」("America's Restructured Economy," *Business Week*, June 1, 1981)では、次の如く五つのサブ・エコノミーに区分している。

(1)在来型産業(old-line industry)。それは自動車、鉄鋼、機械、繊維、家電等の基幹製造業である。これらの産業こそ、現在その経営欠陥から日本やECやアジアNIESなどとの厳しい国際競争にさらされており、根本的な再編成を迫られている産業である。確かにこれらの産業は、一九二〇年代以降のアメリカを代表してきた基幹産業であるため、この産業だけを見ると、アメリカ経済はすでに衰退してしまったかのようにみえるかも知れない。

しかしアメリカのサブ・エコノミーは、これだけに留まらない。少なくとも次の四部門に注目する必要があろう。

(2)エネルギー産業。在来型産業と異なり、アメリカはエネルギー資源に恵まれ、OECD加盟国のいずれに比べても石油、天然ガス、石炭をいっそう多く保有している上、石炭や天然ガスの開発技術が優秀であるため、エネルギー価格が上昇しつづけた七〇年代ほど有利ではないにしても、八〇年代以降も十分強力な産業と考えねばならないだろう。

(3)高度技術産業。これは防衛関連産業でもあり、半導体、コンピューター部門、セラミックスなどの新素材部門である。この部門は日本の急追によってあまり楽観することは困難であるが、アメリカはこの分野の成長力に多くを期待している。最近アメリカが、知的所有権(intellectual property)の保護政策に懸命になっているのも、この分野の優位を確保し永続させるためにほかならない。

また連邦歳出の伸び率を極力抑制しようとするレーガン政権の方針の中で、軍事予算のみ五年間で一・五兆ドルの増額をはかり平和時最大の規模に高めようとしているのも、サブ・エコノミーのこの部門に重点をおいた産業政策の側面を強くもっている。

(4)農業。アメリカが温暖な気候に恵まれて世界の穀倉的地位にあることは、よく知られている。世界の人口の増大につれて、アメリカの食糧に対する需要は増大するにちがいない。現にアメリカはアジア諸国の輸入のうち、日本に対して、大豆の九五％、トウモロコシの八二％、小麦の五九％を供給している。

(5)サービス産業。金融、通信・情報、コンサルティング等の分野は、今後の急成長産業として、とくにその国際化に大きな期待が寄せられている。

表IV-14 アメリカ海外直接投資累積残の産業別構成の動き

単位：％

産　業	1973	1976	1986
採　取　業	30.6	26.8	23.5
製　造　業	43.8	44.5	41.3
サービス業	25.6	28.7	35.2
(うち銀行・保険業)	(9.6)	(11.9)	(18.6)
合　計	100	100	100

（資料） *The World Directory of Multinational Enterprises*, 1980, Table 6および“U. S. Direct Investment Abroad,” *Survey of Current Business*, Aug. 1987

サービス部門の海外進出

以上のようにアメリカ経済を五つのサブ・エコノミーに区分して考察すると、衰退化現象は、主として在来型産業のみで、地域でいうと、すでに見た如く北東部、中部に限られている。しかし、エネルギー産業や高度技術産業の集中する南部や西部においては、生産も雇用も増大している。また、サービス部門の雇用増加も顕著である。

とくに『ビジネス・ウィーク』誌が強調しているのは、サービス部門の海外進出である。「アメリカ経済のうちサービス部門は、従来どの部門よりもその成長を内需に依存してきた。しかし、八〇年代以降は全サービス部門のうち好調な伸びを示すものは海外部門であろう。国際銀行業務、保険業、通信業のようなサービスに対する海外需要は、内需をはるかに上回ることであろう」(*op. cit.*, p. 66) と指摘している。

事実、最近のアメリカの海外直接投資の動きをみても、注目すべきはサービス業の躍進である。表Ⅳ－14「アメリカ海外直接投資累積残の産業別構成の動き」によると、一九七三年にはアメリカ海外直接投資残のうち二五・六％がサービス業であったが、七六年には二八・七％、そして八六年には三五・二％に上昇している。とりわけ銀行・保険業のシェアは高く、一九七三年九・六％であったものが、七六年一一・九％を経て、八六年一八・六％と一三年間で倍増しているのが注目されよう。

多国籍銀行　日本へのアメリカ銀行業・証券業・保険業の激しい進出の動き、あるいは東京オフショア金融市場（国内金融への影響を遮断した非居住者向けの資金調達、資金運用を目的とする金融の自由市場）の創設の動きの中にもそれをうかがい知ることができよう。しかし、アメリカのみの動きではない。世界の五〇大銀行も一斉に海外支店数を急増させている。それはもっぱら金融自由化措置と高速度データ処理通信装置によって、国境を越えた金融市場における迅速な資金の移動が可能になり、利子率のわずかな差異によっても優位を占めることが可能となったからである。いわゆる〝多国籍銀行〟の登場である。

かつてアメリカが多国籍企業によって世界を席捲したように、アメリカの多国籍銀行および欧日の多国籍銀行が世界にネットワークを拡大する時代が到来したのである。多国籍企業による生産の世界化が資金の流れのグローバリゼーションを要請し、日米欧のデレギュレーションはその要請に応えた措置であるといってよいだろう。「プロローグ」において触れたように、二四時間地球をかけめぐる巨額な世界的規模の資金の動きがモノやサービスの世界取引を圧倒する流れになっているが、これを動かしているのが、まさにこれらの多国籍銀行にほかならない。

第五七次『国際決済銀行年次報告』(一九八七年)によれば、国際銀行貸出総額は、一九八六年四七六六億ドル、一九八〇年(二四一一億ドル)の二倍に近く、また一九八六年末の貸出残高は、三・二兆ドルに達している。そのうち世界三大金融センター(イギリス・アメリカ・日本)のシェアは、約半分に達している。各国の対外資産・負債残高における金融勘定の肥大化傾向については、すでに見たところである(アメリカについては図Ⅲ-4と図Ⅲ-5、日本は図Ⅲ-9、イギリスは図Ⅲ-11を参照)。このような肥大化傾向の背景には、基軸通貨ドルの不安定化とそれに伴うドル・ドル型債券投資の激増等、世界的規模におけるマネーサプライの激増とマネーゲーム現象の蔓延という現実が横たわっている。*

* 「西側世界の金融システムは、急速に巨大なカジノ以外の何ものでもなくなりつつある。毎日ゲームが繰り広げられ、想像できないほど多額のお金がつぎ込まれている。夜になると、ゲームは地球の反対側に移動する。世界のすべての大都市にタワーのようにそびえ立つオフィス・ビル街の部

屋部屋は、たて続けにタバコに火をつけながらゲームにふけっている若者でいっぱいである。彼らの目は、値段が変わるたびに点滅するコンピューター・スクリーンにじっと注がれている。彼らは国際電話や電子機器を叩きながらゲームを行なっている。彼らは、ルーレットの円盤の上の銀の玉がかちっと音をたてて回転するのをながめながら、赤か黒へ、奇数か偶数へ自分のチップを置いて遊んでいるカジノのギャンブラーに非常に似ている」。

これは、『カジノ資本主義』(Susan Strange, *Casino Capitalism*, 1986. 小林訳、二ページ)の冒頭の叙述であるが、このようなカジノ資本主義化を必然化する世界経済の構造変化ははたして健全な歩みといえるのだろうか。

ケインズ政策の行方

かくてレーガノミックスやサッチャーイズムや臨調路線が共通に推進してきたデレギュレーションのねらいが明らかとなってこよう。すなわち、資金の流れを自由化して、国家のコントロールから解放することこそ、それにほかならない。

よく知られているように、ケインズ政策は、本来国家の低金利政策によって不生産的な金利生活者階級の〝安楽死〟をはかり、労働者と経営者・官僚の近代的でアクティブなグループ、すなわち〝生産者階級〟の手に一国経済のヘゲモニーを掌握させることに目標を定めてきた。日・米・英のデレギュレーションは、まさにこのケインズ政策の根底にくさびを入れ崩壊させ、資金の流れを自由化・世界化することにあったにちがいない。その結果、資金の流れをもう一度国家のコントロール下に抑え込むことは、きわめて困難になってしまった。かくて一国資本主義的なケインズ政策は、再起不能の打撃を蒙るにいたったものと思われる。拙著『世界経済をどう見るか』の第I章「新しい世界不況――なぜケインズ主義は有効性を失ったのか」の中で「具体的にいうと、国家の規制から自由な巨大な国際的金融グループがケインズ時代を終焉させる決定的な要因となった」(同書六四ページ)と述べているのもそのためにほかならない。また、そのことは、同時に世界経済を動かす力が、財・サービスの生産および貿易の側から国際的な資金の流れの側に移行したことを物語っている。くりかえし世界経済の重大な構造変化であると指摘する所以である。このような「コントロールできなくなった金融システムを管理し、安定化することは世界的な課題で」なければならない(『カジノ資本主義』邦訳書、二四六ページ)。

将来もし先進資本主義諸国においてケインズ政策が再構築されるとしたら、それはグローバルなケインズ政策であって、何よりもまず巨額な資金の世界的な流れを十分コントロールできるような強力な世界中央銀行と新しい世界貨幣の形成が基礎条件とならねばならないことだろう。一九九二年EC単

単位：億ドル

1987年度	
金額	構成比
333.64	100
147.07	44.1
78.32	23.6
106.73	32.0
54.28	16.3

日

表IV-15 日本の対外直接投資の激増

	1951-84		1985年度		1986年度	
	金 額	構成比	金 額	構成比	金 額	構成比
全世界	714.32	100	122.17	100	223.20	100
うち，アメリカ	198.95	27.9	53.95	44.2	101.65	45.5
製造業	220.43	30.9	23.52	19.3	38.06	17.1
金融・保険	70.54	9.9	38.05	31.1	72.40	32.4
不動産	13.27	1.9	12.07	9.9	39.97	17.9

（資料） 大蔵省「対外及び対内直接投資届出実績」1988年5月31

一市場の創設後、さらに単一の共通通貨をめざすであろうヨーロッパ通貨制度は、それへの大きな一歩となるかも知れない。

(5) 日本の海外直接投資と製品輸入

対外直接投資の激増

最近発表された日本の対外直接投資によると、一九八七年度の対外直接投資届出実績は三三三・六四億ドルに達し、対前年四九・五％の激増である（表Ⅳ-15を見よ）。そのうちアメリカ向け投資は一四七・〇七億ドルで対前年四四・七％増、製造業向け対外投資は七八・三二億ドルで対前年一〇五・八％増、金融・保険業への投資額は一〇六・七八億ドル、全体の三二％を占め、対前年の伸び率は四七・四％にも達していることがわかる。この動きは前節で触れたように、日本の都市銀行その他、保険会社、証券会社までが海外支店開設を急増させていることを物語っていよう。多国籍企業による生産の世界化とならんで、否それ以上のスピードで、資金の流れの世界化が進んでいる事実を直視する必要があろう。

また製造業に限って、日本の対外直接投資の地域別構成を見ると、北米が四〇・九％（一四七・五億ドル）、アジアが二七・七％（一〇〇億ドル）、ヨーロッパが九・二％（三三・一億ドル）の順序にならんでいる。アジア向けの直接投資（製造業および非製造業その他合計）のうちで（直接投資全体に対する）構成比の比較的高い地域は、中国（三・七％）、香港（三・二％）、韓国（一・九％）、インドネシア（一・六％）、シンガポール（一・五％）、台湾（一・一％）などである。中国とインドネシアを除くと、いわゆるアジアＮＩＥＳにほかならない。その結果、日本にも最近、製品輸入が激増している。

アジアＮＩＥＳからの輸入

表Ⅳ-16に明らかなように、一九八七年の製品輸入比率（輸入に占める製品輸入の割合）は四四・一％にも達している。日本の製品輸入比率は一九八〇年には二二・八％にすぎなかったが、一九八五年三一・〇％、八六年四一・八％と年とともに急増し、そして八七年は四四・一％に達したのである。間もなく五〇％を越えることであろう。製品輸入の品目別対前年伸び率をみると、機械機器三〇・一％、その他製品のうち繊維

表IV-16　品目別製品輸入

単位：100万ドル，％

	1986		1987		
	金　額	構成比	金　額	構成比	対前年比
化学製品	9,733	18.4	11,845	18.0	121.7
機械機器	14,699	27.8	19,123	29.0	130.1
一般機械	5,318	10.1	6,745	10.2	126.8
電気機械	4,641	8.8	6,119	9.3	131.8
輸送機械	3,459	6.6	4,624	7.0	133.7
精密機械	1,281	2.4	1,635	2.5	127.6
その他の製品	28,349	53.7	34,993	53.0	123.4
繊維製品	5,027	9.5	7,624	11.6	151.7
非鉄金属	3,655	6.9	5,644	8.6	154.4
非金属鉱物製品	1,927	3.7	2,847	4.3	147.7
鉄　鋼	1,762	3.3	2,484	3.8	141.0
非貨幣用金	6,984	13.2	3,467	5.3	49.6
製品輸入額合計	52,781	100.0	65,961	100.0	125.0
非製品輸入額	73,627		83,554		113.5
輸入総額	126,408		149,515		118.3
製品輸入比率	41.8		44.1		

（資料）日本関税協会「外国貿易概説」

製品五一・七％、非鉄金属五四・四％、非金属鉱物製品（ダイヤモンド等）四七・七％、鉄鋼四一・〇％等、これらが製品輸入の激増ぶりを代表している。

表Ⅳ-17は、それを地域別・国別に分類して示している。一九八六年から八七年にかけて最も顕著な伸びを示したのはアジアNIES（五九・七％）で、とくにそのうち韓国（六三・〇％）、台湾（六一・六％）からの製品輸入の伸びが顕著である。

ＡＳＥＡＮ地域も四九・七％の伸びを示し、それらにつづいている。日本の貿易統計では、現在までのところ、ＯＥＭ輸入とか在外子会社からの製品輸入とかを区別した詳細な内訳が公表されていないが、それらの比重が次第に高くなっているにちがいない。

その結果であろうか、一九八七年に至ってアジアＮＩＥＳからの日本の輸入の伸び率（対前年五〇・三％）が日本からアジアＮＩＥＳへの輸出伸び率（対前年三一・二％）をはるかに上回っている。

単位：100万ドル，％

1987		
金　額	構成比	対前年比
17,672	26.8	100.2
15,145	23.0	126.7
12,459	18.9	159.7
5,990	9.1	163.0
4,245	6.4	162.6
1,361	2.1	148.7
863	1.3	143.1
2,220	3.4	149.7
18,465	27.9	132.9
65,961	100.0	125.0

為替レートと購買力平価

以上の動きは、一九八五年プラザ合意以降の円高によって拍車をかけられたことはいうまでもない。円高・ドル安の結果、一九八七年の一人当りＧＮＰ（国民総生産）をドル表示で計算すると、日本は一万九八〇〇ドルであるのに対してアメリカは一万八四〇〇ドルとなり、日本の方がアメリカ人より金持ちになったといわれる。事実、英誌『エコノミスト』一九八六年一〇月三一日号の表紙には、写楽の自画像の掌の上にアンクル・サムを乗せて“Now I'm richer than

表IV-17　地域別・国別の製品輸入

	1985		1986		
	金　額	構成比	金　額	構成比	対前年比
アメリカ	14,243	35.5	17,645	33.4	123.9
E　C	7,485	18.6	11.956	22.7	159.7
アジアNIES	5,689	14.2	7,803	14.8	137.2
韓国	2,635	6.6	3,674	7.0	139.4
台湾	1,952	4.9	2,611	4.9	133.8
香港	648	1.6	915	1.7	141.2
シンガポール	454	1.1	603	1.1	132.8
ASEAN	1,398	3.5	1,483	2.8	106.1
その他	11,342	28.2	13,894	26.3	122.5
製品輸入計	40,157	100.0	52,781	100.0	131.4

（注）　ASEANにはブルネイを含めず
（資料）　日本関税協会「外国貿易概説」

you.”といわせている。これはあくまでも為替レートによって円表示のGNPをドル表示に換算した、全く計算上の比較にすぎない。日本の実際の生活レベルがアメリカ人のそれを抜いたということではない。

たとえば牛肉の価格はアメリカの三倍、米の価格は八倍だし、JETRO（日本貿易振興会）が調査した世界主要都市の物価比較を見ても、東京の耐久消費財の価格は、一九八七年一月現在、ニューヨークの一・三五倍であるし、食品では、一九八六年一〇月現在、東京はニューヨークの一・五七倍になっている。

OECD（経済協力開発機構）は一九八七年現在、為替レートではなく購買力平価（国内における円の購買力)を用いて、各国の一人当り実質GDP(国内総生産)を次のように比較しているが、その結果は、Ⅲ部表Ⅲ-30に明らかなように、日本の生活レベルは、アメリカの七一%にすぎない。このように、為替レートでドル換算するとアメリカを抜き世界第一位まで上昇するのに、購買力平価でみると第八位に下落するのはなぜであろうか。

それは、円が海外市場において強く、国内市場において弱いからにほかならない。前にも触れたようにOECDが計算に用いた一九八七年の購買力平価は、一ドル=二一三円にすぎないのに、為替レート(一九八七年一〇月)で見ると、一ドル=一四三円の円高であった。購買力平価は、為替レート換算の六七・一%にしかすぎない。

日本の円のように為替レート換算の円の価値にくらべて購買力平価の低い通貨は、OECD加盟国の中に他に例をみないし、反対にイギリスやベルギーなどでは、対外的な為替レートよりも、購買力平価の方が高いほどである。

値崩れ現象　しかし最近、日本でもようやく注目すべき動きがはじまっている。それは、輸入の自由化とアジアNIESからの製品輸入の激増とともに、国内製品物価に値下りが生じはじめていることである。とくに家庭電化製品、食品、衣料などに激しい値崩れ現象が見られる。たとえば一九八五年末一四万円のハイファイ・ビデオが今では約六万円、七万円の一九インチ型カラーテレビが四万六〇〇〇円、三万円の電子レンジが今や一万六八〇〇円、二時間もののビデオテープが四八〇円、ワープロ（キャノンL－1）一二万八〇〇〇円が六万九八〇〇円。そのほか日用雑貨でも、一年前にくらべてティッシュ・ペーパー三〇%、洗剤二〇%、紙おむつ二〇%と値下げし、二年前まで一二〇〇円で売られていた缶入り輸入クッキーが五〇〇円を割るほどである。

日本では、土地のように輸入不可能な商品の異常な値上りがあり、東京など大都会のサラリーマンにとって住宅購入は次第に高嶺の花になっているが、それを除くと円の国内購買力も製品輸入の増大とともに次第に高まっていき、アメリカのそれに接近していくことであろう。しかし、もし、日本の消費者が円の国内購買力の増大を急ぐあまり、製品輸入、食料品輸入を激増させることに夢中になり、その流れがメーカーによる製品や部品のOEM輸入の増大と合流するとき、――おそらくそれは二一世紀に入ってからのことと思われるが、――イギリスとアメリカの轍をふんで、気がついてみると日本もまた「モノをつくる以上にカネを使い、能力以上の暮し」（ボルカー）をおくる輸入超過国への変貌という事態が訪れているかも知れない（もっともその場合、投資収益の受取高の急増により、貿易外収支は黒字をふやしていることであろうが）。*

＊ ここで「前川リポート」に少しだけ触れておこう。前川リポートというのは、中曾根前首相の私的諮問機関「国際協調のための経済構造調整研究会」（前川春雄座長）が一九八六年四月七日にまとめた報告書の通称である。報告は、日本の経常収支に大幅黒字が続く事態を、世界経済から孤立しかねない〝危機的状況〟と把握し、この不均衡を着実に縮めることを「中期にわたる国民的政策目標として設定すべきだ」とし、さらに、大幅な貿易黒字は輸出主導型の日本の経済構造に原因があるとして、内需主導の国際協調型構造への改革を訴えた。しかし前川リポートは、あわせて「国際社会への貢献」として発展途上国への経済援助とならんで日本企業の海外直接投資の推進を強調している。

前川リポートは、経常収支の黒字を縮小させることのみを目標としているから、矛盾を感じないのであろうが、国内の雇用拡大の観点から見なおしてみると、この提案は矛盾の体系である。内需を拡大しながら、片方で海外直接投資を推進しているからである。それは、あたかもバケツの底に海外直接投資という穴をあけておいて、その中に内需の水を注ごうという提言だからである。よほど大量の内需の水を注がない限り、資本の海外流出の方がそれを上回るかも知れない。この矛盾（雇用問題）は、おそらく一九九〇年代に至ってアメリカに進出した日本の自動車工場が本格的に稼動し、年産二〇〇万台レベルに達した時、そして韓国・現代自動車社がポニー・エクセルの日本向け輸出を一〇万台規模にまで高めてきたとき、いっそう具体的な形で露呈してくることであろう。

事実、GMのスミス会長が一九八七年、来日した時「アメリカで日本の自動車会社がさかんに現地生産しているが、それらの半分の一〇〇万台くらいは現在の（乗用車輸出の）自主規制二三〇万台のなかにカウントすべきだろう」と述べている。この発言は、一九九〇年代、日本の港から船積みされる対米完成乗用車は一三〇万台近くに激減することになるかもしれないことを意味している。

表IV-18　自動車関連産業総従業員543万8000人の内訳（1985年）

単位：万人

自動車製造部門		資材部門		販売・整備部門		関連部門		利用部門	
自動車工業	19.2	鉄鋼業	10.4	自動車小売業	39.0	金融・保険事業	27.8	道路貨物運送業	96.2
自動車部品工業	48.0	タイヤ・チューブ製造業	3.6	自動車整備業	34.0	ガソリンステーション	25.7	道路・旅客運送業	71.3
自動車車体工業	5.0	非鉄金属製造業	2.6	自動車卸売業	11.0	石油卸売業	1.8	運輸付帯サービス業	37.9
		ガラス	0.5	部品・付属品卸売業	8.5	石油精製業	0.7	駐車場業	6.5
		その他（プラスチック・繊維ベアリング・バッテリー等）	40.0	その他（二輪車小売業）	7.4	潤滑油・グリース製造業	0.5	自動車賃貸業	1.2
						その他（広告・宣伝・印刷・タイヤ小売業）	15.0	その他（自家用送迎バス運送業）	30.0
計	72.2	計	57.1	計	99.9	計	71.5	計	243.1

（資料）日本自動車工業会

表Ⅳ-18においては、日本自動車工業会は、一九八五年現在、自動車製造部門において直接生産に従事している従業員数七二万二〇〇〇人に対して、自動車関連産業総従業員は五四三万八〇〇〇人に及んでいることを示している。海外直接投資による自動車輸出削減の雇用に及ぼす波及効果の大きさを示唆している。

なお、一九八八年の株主総会において日産自動車は定款を変更し、事業目的の中に「兵器」を加えることを決定したようだが、これは予想される乗用車の対米輸出激減に備えて、積極的に防衛庁からの受注態勢を強化するための措置にちがいないと思われる。このような構造調整もまた、前川リポートの〃国際的に調和のとれた産業構造への転換〃といってよいのだろうか。しかし、企業がその営利目的のために「兵器」生産にまで踏み切ると公然と表示するに至ったことは、あえて平和憲法第九条に抵触するおそれのある企業意思といってよいだろう。このような動きが顕著になり、とくに防衛庁からの受注拡大を目指して、財界側が積極的に防衛費GNP一％枠突破実現を要求するようになり、やがて日本型軍産複合体の確立にまで及ぶことになるならば、なおさら危険な構造調整といわねばならない。

エピローグ　新しい世界貨幣の準備をはじめよう

新しい世界貨幣

プロローグでも触れたが、ハーバード大学教授リチャード・N・クーパーは、一九八四年、次の如く述べたことがある。「ニューハンプシャー州ブレトン・ウッズにおいて開催された国際通貨会議の四〇周年にあたる今年、かりに実際に病んでいないとしても、少なくとも多くの加盟者に不安と失望を感じさせている現行国際通貨制度を改善するための新しいブレトン・ウッズ会議に対する、しかしなお表立っては公表されていない要望が数多くみられた。……国際通貨の仕組みははたして安定しているのだろうか。それは二〇年、三〇年間といったかなりの期間にわたって生き残りうるであろうか。私の答えはノーである*」。そして新しい国際通貨として「共通の通貨政策とその通貨政策を決定する加盟国合同発券銀行をもち、すべての民主主義先進工業国に共通する一つの通貨の創設」が必要である、と主張している(Richard N. Cooper, "A Monetary System For the Future," *Foreign Affairs*, Fall 1984, p. 164)。

＊ 事実、国際通貨としてのドルの凋落ぶりは著しい。一九八七年発表の『ＩＭＦ年次報告書』によると、世界の外貨準備高の中に占めるドル準備の割合は、一九八六年末ついに五〇％を割るに至った。一九七〇年代後半まで、ドル準備のシェアは、七五％前後の高水準を維持しつづけてきたが、七九年三月ＥＭＳ（ヨーロッパ通貨制度）の発足によってＥＣＵ（ヨーロッパ共通の通貨単位）が創出されたあとは、七九年末六二％、八五年五二・五％、そして八六年末四九・九％と低落傾向を辿り、今日に至っている。なお八六年末における主要通貨のシェアは、ＥＣＵ一二・二％、マルク一二・一％、円五・七％等である。（田村勝省「ドルの凋落」『東京銀行月報』一九八七年一二月号二ページ）

また英誌『エコノミスト』一九八八年一月九日号は、「さあ世界貨幣を準備しよう」というカバー・ストーリーの冒頭、「今から三〇年後、アメリカ、日本、ヨーロッパ、そしてその他の豊かな国々の人々、そして若干の相対的に貧しい国の人々もまた多分、同一の通貨を買い物のために用いることだろう。価格も、ドル表示、円表示、マルク表示ではなく、いわば、世界共通通貨となったフェニックス表示であらわされていることだろう」（"Get ready for a Phenix," *The Economist*, Jan. 9, 1988, p. 11）とのべ、表紙に一〇フェニックスを表示するコインの図を描き、それの発行年を二〇一八年と刻印している。現在のブレトン・ウッズ体制は崩壊し、三〇年後の二〇一八年には、新しい世界貨幣が主要な国々で実際に流通しているだろうという予想である。

これらの新しい国際通貨制度の構想は、いずれも、戦後のブレトン・ウッズ体制に対して否定的であり、近い将来(少なくとも二、三〇年後)、基軸通貨であるドルに代わるものとして新しい世界通貨が必要であることを強調している。

ありえぬ「ドルから円へ」

ということは、今後ひきつづき日本が世界最大の債権国であることをつづけ、アメリカが世界最大の債務国に凋落したままであっても、かつてポンドに代わってドルが世界貨幣として登場したように、将来ドルに代わって円が世界貨幣として脚光を浴びるようになる時期は到来しないことを意味している。

戦後歴代の日本政府のいずれにとっても、よもや円が世界貨幣であるドルに代わる日が将来訪れようとは考えてもみなかったことだし、また積極的にそのようなヴィジョンを描いた首相も皆無であったといってよいだろう。竹下首相もトロント・サミットの後、一九八八年六月二二日シカゴ日米協会主催の晩さん会において、「これまでの四〇年間、世界において平和の維持と、経済の発展のために最も献身的に、最も大きく貢献してきたのはアメリカだ。わが国は、日米協調を外交の基軸として、自らの平和を確保し、繁栄を築いた。近年、西欧諸国や日本が国際社会においていっそう大きな役割を果たす能力を持つようになっていることは事実だが、西側のリーダーとしてアメリカが果たしている中心的役割は、いかなる国もとって代わることができない。わが国にとってアメリカは、自由と民主主義という価値観を共有するかけがえのない同盟国だ。力強いアメリカは、わが国の将来にとって不可欠だ」と演説している。政府にその意図がなくて、円が突然、世界貨幣の役割を担うようなことは絶対に起こりえないであろう。

また万一、ドルに代わって円が世界貨幣の重い役割を担うことになっても、世界のモノの取引とサービスの取引の拡大のほかに、日々巨大化する国際的な資金の流れの拡大に伴って国際流動性に対する要求は飛躍的に増大せざるを得ないが、円の世界への供給増加は日本の経常収支の赤字によらない限り実現不可能であろう。しかしその赤字の増大は円に対する国際的信認を急速に失墜させ、R・トリフィンのいわゆる〝流動性ジレンマ〟に陥らないわけにいかない。それを回避するため、ポンドもドルも世界貨幣としてスタートした時、世界の四分の三に近い金保有量によってその信認の維持をはかったことは、よく知られている。最近でも金に国際通貨制度のアンカー(頼みの綱)としての役割を期待する考え方はなお有力である。しかし、日本の外貨準備中、金保有量は、一九八七年末現在で一二億ドルにすぎない。ここにも歴代日本政府のネガティブな意思をうかがい知ることができよう。

その上、すでに本文の中で詳しく分析したように、日本の対外資産残高(一九八七年末、一兆七一六億ドル）のうち三一・七％が証券投資であり、その大半がドル建てである。要するに、ドルの対外価値が低下すればそれとともに日本の対外資産の価値も低下することを免れない構造にビルト・インされてしまっている。かくて、将来ドルが世界貨幣の役割を終えても、円は、ドルにとって代わる道を選ぶ意図も客観的な準備も持ちあわせていないということは歴然としているのである。にもかかわらず、アメリカの対外純債務の増加傾向は、とどまるところを知らない。

「バイゲモニー」

そこで最近では、次のような見解が有力になっている。「一部の論者の思い込みとは反対に、パックス・アメリカーナはパックス・ニッポニカによってとって代わられるということはないだろう。むしろアメリカのヘゲモニー（Hegemony）の代わりに、アメリカと日本によるバイゲモニー（Bigemony＝両頭支配）が登場してくる可能性が高い」。「日本の成長はアメリカ市場に依存し、その安全保障をアメリカに依存しているし、アメリカの方は貿易の赤字と財政の赤字のファイナンスを日本に強く依存している」。「アメリカの資金不足と債務国的立場と日本の資金過剰と債権国的立場は、かなりの程度、相互にミラー・イメージ（mirror image）を形成している」からである（C. Fred Bergsten, "Economic Imbalances and World Politics," *Foreign Affairs*, Spring 1987, p. 790）。

この見解に対して、なぜ「バイゲモニー」であって、アメリカ、日本に西ドイツを加えた「トリゲモニー」(Trigemony＝三頭支配)ではないのか、という疑問が生ずるであろう。この点について、キンドルバーガー教授は、次のように説明している(『日経』一九八七年六月一日)。一九三〇年代の大恐慌があれほど長期間つづき、あれほど深刻であったのは、世界経済全体に対して〝責任をとる国〟がなかったからである。すなわちパックス・ブリタニカはすでに崩れ、イギリスのヘゲモニーは揺らいでいたのに、当時すでに十分実力を備えていたアメリカが、なおモンロー主義にとじこもって「われわれは小国だし、孤立主義を採用しており、ヨーロッパの問題まで面倒を見るのは御免だ」といって責任を回避したためであるという。現在もアメリカのリーダーシップは揺らいでいるが、リーダー交替の見透しはきわめて不鮮明である。しかも西ドイツはEMS(ヨーロッパ通貨制度)の方によりいっそうの関心をもっており、アメリカと西ドイツの政策協調は容易でないため、トリゲモニーは事実上運営困難であり、それより協調をとりやすい日米両国でリーダーシップを掌握し、バイゲモニーの途を積極的に採用するほかはないというのである。

この「バイゲモニー」という言葉自体、もともと一九七四―七五年アメリカと西ドイツとの間に経済システムのジョイント(連合)・リーダーシップ(joint leadership of economic system)

が構想されたときにバーグステンによって創られた新造語にほかならない。しかし当時、西ドイツがそのような役割を担うことを拒否したために、バイゲモニー構想はついに実現をみるに至らなかったのである。

「G2ターゲット・ゾーン」

それではバイゲモニーというのは、具体的にいって、どのような国際通貨システムを内容とするものであろうか。それは「G2ターゲット・ゾーン」プランにほかならない。たとえば、ドルと円の均衡水準(ファンダメンタルズ＝経済の基礎的諸事件にほぼ合致している水準)について、かりに一対一五五をドルの下限、一対一六五を上限とするようなターゲット・ゾーンを設定し、このような範囲内に現実の為替レートを収めるよう、両国は国際経済政策の強力な協調をはかろうとする。要するに、日米両国間が強固な協調体制をくむことによって、変動相場制のなかに固定相場制の要因を加味しようとするものである。現実に一九八六年一〇月三一日以来たびたび開催されてきたG2体制は、この方式を模索したものにほかならない。しかし、この新しい「G2ターゲット・ゾーン」が国際的な通貨制度として確定するに至るためには、次の難問を解決しなければならない。まず「日米両国ははたして、実際にその経済政策を体系的に調整しはじめるようになるのであろうか。過去、ターゲット・ゾーン案に強い支持を表明してきたフランスなどの国々は、この参加の呼びかけに応じるであろうか。日米両国は、いずれも歩調をあわせて通貨市場に介入することによって、参加した他国による必要な調整を促すことができるであろうか。円・ドル〝圏〟は、次第にEMSに対抗するものとして発展し、しばしば想定されているような三通貨国(EMS、ドル、円)でなく、二つの主要通貨国のまわりに世界の国々を連合させることができるだろうか」。これらの疑問に対して、「私(バーグステン)自身は、G2は独自の地歩を築いた今、グローバルな経済安定の推進に向けて、これを拡大するためにあらゆる努力を払うべきだと考えている」(C. Fred Bergsten, "Crisis and Reform of the International Monetary System" on *The Outlook for U. S. Trade, Globally and with Japan*, Jan. 29, 1987, p. 32)と述べて、EMSを考慮の外に置こうとしている。

しかしこのG2ゾーン構想は、世界システムに向けて発展していくまえに、市場レートがすでにドルの下限を大きく突破して、今日に至っている。日米間にみられる基礎的不均衡が解消せず、その累積額としてのアメリカの対外純債務と日本の対外純債権の間のギャップが今後益々拡大していく限り、このターゲット・ゾーン構想も、その基礎は不安定なものと考えねばならない。

単一の世界貨幣　ドルに代わるものとして、『エコノミスト』の呈示するフェニックスという名の新しい世界貨幣は、バーグステンのバイゲモニーとは反対に「多分、現存のSDR(特別引出権)のように数多くの一国通貨の一種のカクテルとしてスタートすることだろう」(*op. cit.*, p. 12)としている。またクーパーが創設の必要を説く〃共通通貨〃(common currency)というのは、先進工業民主主義国のみに参加国の範囲を限定した共通通貨であって、SDRのそれよりはるかに狭い範囲を考えている。SDRの配分国は、すでに日本、アメリカ、イギリス、西ドイツ、フランス、イタリアのほか先進工業国のみならず、西欧、EC、石油輸出国、非産油途上国に及んでいる。しかしこれら二つの提案のいずれもがソ連、中国のような共産圏を排除しているようであるが、二一世紀に入ると、ソ連、中国の共通通貨への参加の可能性も十分考慮に入れておくべきだろう。

世界中央銀行構想については、①誰がメンバーになるのか、その運営に当たるのは、アメリカのFRBや西ドイツのブンデスバンクのように、独立の理事会なのか、それとも各国政府の代表の合議体となるのかが問題となろう。②世界中央銀行にとって決定的に重要なことは、それが各国政府、各国中央銀行から独立しているかどうかである。独立的であるためにはなによりも各国政府ないし各国中央銀行は、自らの国家主権のかなりの部分を超国家的な国際機関に譲渡しなければならないだろう。この政治的決断は、理論的に考える以上に具体的に考える場合、容易ならない大きな困難となって前途に立ちはだかってくることだろう。その障害が近く各国政府によって簡単に乗り越えられるとは考えにくいであろう。事実、一九九二年にEC単一市場が創設されたとしても、一九九二年以降、ただちに欧州通貨単位(ECU)が成立するとは考えられていないのである。

SDRが、ドルに代わる〝フェニックス〟となるのも、ポンドのヘゲモニーがドルのヘゲモニーに交替した時以上に難かしく、二〇一八年となっても実現することは困難かもしれない。しかし、七〇年代以降、「世界の経済的混乱は貨幣的・金融的なものである」(『カジノ資本主義』八四ページ)ことは疑う余地がない。世界経済と世界金融が健全な発展をとげるためには、健全な単一の世界貨幣(共通通貨)が不可欠であるし、また累積債務問題においてくりかえし強調されているように国際金融システムには最後の貸手(lender of last resort)が強く要請されているのである。各国(とくに現基軸通貨国アメリカ)の間にこの認識が次第に共有されてくるようになれば、超国家的な国際金融機関の成立も、やがて実現可能となる日がくるにちがいない。とくに世界最大の債権国の日本政府、日本銀行もバイゲモニーの範囲に行動を制約し、その中にだけ安住しているわけにいかないであろう。バイゲモニーを永久のシステムとみる見方をあらためて、西ヨーロッパ各国とも根気のいる協議を重ね、新しい〝フェニックス〟に向けて積極的なヴィジョンを示し、その実現に向かって一歩をふみ出すための準備に着手する時期が迫っているのではないだろうか。

あとがき

金融の自由化とデレギュレーションによって資金の流れのグローバリゼーションが急速に進展するにつれて、次第に世界経済を動かす力は、財・サービスの貿易(実需取引)の側から、資金の国際的な流れ(金融取引・投機取引)の側に向けて移行するようになった。本書は、この動きを最近約一〇年間に生じた世界経済最大の構造変化の一つと把握し、その激動期をアメリカ経済と日本経済の双方から統計的に実証し、アメリカの資金不足=債務国的ポジションと日本の資金過剰=債権国的ポジションが相互にミラー・イメージを呈している現実を明らかにしながら、それを背景としてプラザ合意(一九八五年九月二二日)以降顕著な円高・ドル安の構造を立体的に解明し、あわせて「暗黒の月曜日」(一九八七年一〇月一九日)の核心に迫ることを目的としている。

このような世界経済の激動する現実に分析のメスを加えようとする場合、何よりもまず、帰納論的アプローチに依拠する正確なファクト・ファインディング(事実認識)が不可欠となろう。本書の準備作業も、最初膨大で複雑多岐にわたる情報とデータを収集し、それらをクロノロジカル(年表風)に整理し、記録する作業から着手された。この記録部分は、紙幅の関係ですべて割愛した(四八ページを見よ)が、本書の構成は、それらをベースにして体系化を試みたものにほかならない。(なおジャーナリストの鋭い筆でG5の内幕に光をあてた船橋洋一著『通貨烈烈』(朝日新聞社、一九八八年)が刊行されている。参照されたい。)また、本書の中で実証のために必要とされる統計は、可能な限り最新のものを入手して利用するよう努力した。

これらの準備作業は、当然、図書館の全面的な協力なしに進めることは不可能であった。本書の場合、幸い東京経済大学図書館の多くの方々から特別の配慮と協力を得ることができた。そのほかにも、京都大学経済研究所や神奈川大学の資料室や国内外の数多くの金融関係機関からも必要なデータの提供に恵まれた。ここにあらためて、心からお礼の言葉を申上げたい。

最後になったが、本書も前著『世界経済をどう見るか』と同様、都留重人先生の学恩に負うところ大である。そして岩波書店新書編集部、とりわけ坂巻克巳氏には、並々ならぬお世話になった。また多くの方々が、前著同様、図表の多い厄介な本書の製作・印刷および校正を分担された。これらの方々に対しても心からなる謝意を表したい。

一九八八年八月

宮崎義一

岩波新書創刊五十年、新版の発足に際して

岩波新書は、一九三八年一一月に創刊された。その前年、日本軍部は日中戦争の全面化を強行し、国際社会の指弾を招いた。しかし、アジアに覇を求めた日本は、言論思想の統制をきびしくし、世界大戦への道を歩み始めていた。出版を通して学術と社会に貢献・尽力することを終始希いつづけた岩波書店創業者は、この時流に抗して、岩波新書を創刊した。

創刊の辞は、道義の精神に則らない日本の行動を深憂し、権勢に媚び偏狭に傾く風潮と他を排撃する驕慢な思想を戒め、批判的精神と良心的行動に拠る文化日本の躍進を求めての出発であると謳っている。このような創刊の意は、戦時下においても時勢に迎合しない豊かな文化的教養の書を刊行し続けることによって、多数の読者に迎えられた。戦争は惨澹たる内外の犠牲を伴って終わり、戦時下に一時休刊の止むなきにいたった岩波新書も、一九四九年、装を赤版から青版に転じて、刊行を開始した。新しい社会を形成する気運の中で、自立的精神の糧を提供することを願っての再出発であった。赤版は一〇一点、青版は一千点の刊行を数えた。

一九七七年、岩波新書は、青版から黄版へ再び装を改めた。右の成果の上に、より一層の課題をこの叢書に課し、閉塞を排し、時代の精神を拓こうとする人々の要請に応えたいとする新たな意欲によるものであった。即ち、時代の様相は戦争直後とは全く一変し、国際的にも国内的にも大きな発展を遂げながらも、同時に混迷の度を深めて転換の時代を迎えたことを伝え、科学技術の発展と価値観の多元化は文明の意味が根本的に問い直される状況にあることを示していた。

その根源的な問は、今日に及んで、いっそう深刻である。圧倒的な人々の希いと真摯な努力にもかかわらず、地球社会は核時代の恐怖から解放されず、各地に戦火は止まず、飢えと貧窮は放置され、差別は克服されず人権侵害はつづけられている。科学技術の発展は新しい大きな可能性を生み、一方では、人間の良心の動揺につながろうとする側面を持っている。溢れる情報によって、かえって人々の現実認識は混乱に陥り、ユートピアを喪いはじめている。わが国にあっては、いまなおアジア民衆の信を得ないばかりか、近年にいたって再び独善偏狭に傾く惧れのあることを否定できない。

豊かにして勁い人間性に基づく文化の創出こそは、岩波新書が、その歩んできた同時代の現実にあって一貫して希い、目標としてきたところである。今日、その希いは最も切実である。岩波新書が創刊五十年・刊行点数一千五百点という画期を迎えて、三たび装を改めたのは、この切実な希いと、新世紀につながる時代に対応したいとするわれわれの自覚とによるものである。未来をになう若い世代の人々、現代社会に生きる男性・女性の読者、また創刊五十年の歴史を共に歩んできた経験豊かな年齢層の人々に、この叢書が一層の広がりをもって迎えられることを願って、初心に復し、飛躍を求めたいと思う。読者の皆様の御支持をねがってやまない。

（一九八八年一月）